この道を、独りで歩いて二十三年。
これからも歩くのだろう、名も知らない
並木が美しいセーヌ河畔のこの散歩道……。

私のパリ　私のフランス

岸惠子

目次

パリ PARIS 中心部

D
E
F
1
2
3
4
PIGALLE
Bd. de Rochechouart
ANVERS
BARBÈS
ROCHECHOUART
北駅
GARE DU NORD
ST-GEORGES
GARE DU NORD
東駅
GARE DE L'EST
CHÂTEAU LANDON
COLONEL FABIEN
Rue de Châteaudun
TRINITÉ
NOTRE-DAME
DE LORETTE
Rue la Fayette
POISSONNIÈRE
CADET
Bd. de Sébastopol
GARE DE L'EST
Bd. de la Villette
LE PELETIER
Rue de Provence
ショセ・ダンタン・ラファイエット
CHAUSSÉE D'ANTIN LA FAYETTE
CHÂTEAU D'EAU
Bd. de Magenta
Bd. Haussmann
オペラガルニエ
Opéra Garnier
RICHELIEU DROUOT
Rue Bergère
Bd. des Italiens
GRANDS BOULEVARDS
BONNE NOUVELLE
オペラ
OPÉRA
JACQUES BONSERGENT
Rue du Faubourg du Temple
QUATRE
SEPTEMBRE
STRASBOURG
ST-DENIS
Rue du Quatre Septembre
Av. de l'Opéra
ブルス
BOURSE
Rue de Cléry
GONCOURT
Bd. St-Martin
サンティエ
SENTIER
パリ国立図書館
ギャラリー・ヴィヴィエンヌ
Galerie Vivienne
レピュブリック広場
レピュブリック
RÉPUBLIQUE
パレ・ロワイヤル
Palais-Royal
国立技術博物館
ア・プリオリ・テ
A PRIORI THE
ピラミッド
RAMIDES
ヴィクトワール広場
レオミュール・セバストポル
RÉAUMUR SÉBASTOPOL
レ・サロン・デュ・パレ・ロワイヤル・シセイドー
Les Salons du Palais Royal Shiseido
TEMPLE
OBERKAMPF
PARMENTIER
St-Honoré
Rue de Turbigo
Rue Réaumur
ARTS ET
MÉTIERS
エチエンヌ・マルセル
ÉTIENNE MARCEL
ア・マリー・スチュアート
A Marie Stuart
コメディ・フランセーズ
Comédie Française
スパ・ニュクス・32・モントルグイユ
SPA NUXE 32 Montorgueil
Rue de Bretagne
Bd. du Temple
FILLES DU
CALVAIRE
レ・アル
LES HALLES
パレ・ロワイヤル・ミュゼ・デュ・ルーヴル
PALAIS ROYAL
MUSÉE DU LOUVRE
フォーラム・デ・アル
RAMBUTEAU
ST-AMBROISE
カルーゼル広場
LOUVRE
RIVOLI
CHÂTELET/
LES HALLES
ST-SÉBASTIEN
FROISSART
ルーヴル宮
ポンピドー・センター
Rue du Temple
Rue des Archives
ロワイヤル橋
ルーヴル美術館
Musée du Louvre
古文書館
ピカソ美術館
RICHARD
LENOIR
Quai du Louvre
カルーゼル橋
Rue du Pont Neuf
Rue de Rivoli
Bd. de Sébastopol
Rue du Renard
Rue Vieille du Temple
Bd. des Filles du Calvaire
メタモルフォジー（11月〜3月）
MÉTAMORPHOSIS
PONT NEUF
ノートルダム・デ・ブラン・マントー教会
Rue du Chemin Vert
Bd. Richard Lenoir
コンシェルジュリー
Conciergerie
CHÂTELET
HÔTEL DE VILLE
Rue des Francs Bourgeois
Rue de Turenne
CHEMIN
VERT
Rue des Sts-Pères
ビエット教会
Rue de Rivoli
パリ市庁舎
Rue des Rosiers
Bd. Beaumarchais
サント・シャペル教会
Sainte Chapelle
最高裁判所
ブレゲ・サバン
BRÉGUET SABIN
ソニア・リキエル
SONIA RYKIEL
Rue St-Benoit
Rue Bonaparte
Bd. du Palais
Quai de la Corse
シテ
CITÉ
ノートルダム寺院
Cathédrale Notre Dame
ST-PAUL
ヴォージュ広場
マルシェ・バスティーユ
Marché Bastille
サンジェルマン・デ・プレ教会
サンジェルマン・デ・プレ
ST-GERMAIN DES PRÉS
サン・ミッシェル
ST-MICHEL
Rue de la Cité
Rue d'Arcole
ル・フロール・アン・リル
Le Flore en l'Ile
Rue Saint Paul
バスティーユ
BASTILLE
バスティーユ広場
ポン・マリー
PONT MARIE
Rue du Four
MABILLON
ガルディル肉店
Boucherie GARDIL
Rue du Faubourg St-Antoine
サンセヴラン教会
Quai de Montebello
オペラ・バスティーユ
ODÉON
マルタン夫妻のパン屋
BOULANGERIE PATISSERIE
PHILIPPE et FRANCIE MARTIN
クリュニー・ラ・ソルボンヌ
CLUNY LA SORBONNE
Rue St - Sulpice
ST-SULPICE
サン・シュルピス教会
勇鮨
ISAMI
マリー橋
サンルイ・アン・リル教会
MAUBERT
MUTUALITÉ
クリュニー美術館
SULLY MORLAND
Quai de la Tournelle
バトー・パリジャン（4月〜10月）
Bateaux Parisiens
シュリー橋
Bd.St-Germain
ベルティヨン
Berthillon
Bd Morland
Quai Henri IV
Bd. Bourdon
Bd. de la Bastille
Av. Daumesnil
Rue de Vaugirard
メタモルフォジー（4月〜10月）
MÉTAMORPHOSIS
リュクサンブール宮殿
ソルボンヌ大学
Sorbonne
アラブ世界研究所
Institut du Monde Arabe
Rue de Médicis
Rue Guynemer
ジリャブ
Ziryab
Rue de Lyon
Quai St-Bernard
リュクサンブール公園
Jardin du Luxembourg
Rue Soufflot
カルディナル・ルモアヌ
CARDINAL LEMOINE
ジュシュー大学
QUAI DE
LA RAPÉE
LUXEMBOURG
Bd. Diderot
パンテオン
ジュシュー
JUSSIEU
ル・トラン・ブルー
Le Train Bleu
Rue Gay Lussac
オステルリッツ橋
Rue Auguste Comte
植物園
リヨン駅
GARE DE LYON
Rue d'Assas
Bd. St-Michel
PLACE MONGE
サン・ジャック・デュ・オー・パ教会
GARE D'AUSTERLITZ
自然史博物館
オステルリッツ駅
GARE D'AUSTERLITZ
Bd. de l'Hôpital
du Montparnasse
PORT
ROYAL
CENSIER DAUBENTON

A
B
C
1
2
3
4
Bd. Pereire
MALESHERBES
Av. de Villiers
ROME
VILLIERS
MONCEAU
Bd. Malesherbes
Rue de Rome
Rue d' Amsterdam
モンソー公園
Parc de Monceau
Bd. de Courcelles
COURCELLES
TERNES
EUROPE
Rue de Liège
Rue de Madrid
PORTE MAILLOT
Av. Hoche
サン・ラザール駅
GARE ST-LAZARE
オッシュ通り
Av. de la Grande Armée
ARGENTINE
Av. de Wagram
サントーギュスタン教会
ST-LAZARE
Av. de Friedland
Bd. Haussmann
シャルル・ド・ゴール・エトワール
CH.DE GAULLE ETOILE
凱旋門
Arc de Triomphe
MIROMESNIL
ST-AUGUSTIN
HAVRE CAUMARTIN
Av. Foch
ST-PHILIPPE DU ROULE
サンテスプリ教会
ジョルジュ・サンク
GEORGE V
Av. Victor Hugo
クレベール
KLÉBER
フーケッツ
Fouquet's
Av. des Champs-Élysées
マドレーヌ寺院
La Madeleine
英国教会
Rue Tronchet
エリゼ宮
Av. Marceau
Av. d'Iéna
VICTOR HUGO
Av. Matignon
Rue du Faubourg St-Honoré
フォーブル・サントノーレ通り
エルメス
HERMÈS
Av. Kléber
FRANKLIN D. ROOSEVELT
マドレーヌ
MADELEINE
ランコム
LANCÔME
カリタ
CARITA
BOISSIÈRE
Av. Pierre 1er de Serbie
Av. George V
プラザ・アテネ
シャンゼリゼ・クレマンソー
CHAMPS ÉLYSÉES CLEMENCEAU
Av. de Marigny
コンコルド
CONCORDE
グラン・パレ
プチ・パレ
ギメ美術館
Av. Montaigne
IÉNA
Av. du Président Wilson
アルマ・マルソー
ALMA MARCEAU
コンコルド広場
Place de la Concorde
チュイルリー
TUILERIES
パレ・ド・トーキョー
パリ市立近代美術館
アルマ橋
Av. F. D. Roosevelt
アンヴァリッド橋
アレクサンドル3世橋
Pont Alexandre III
チュイルリー公園
Jardin des Tuileries
トロカデロ広場
TROCADÉRO
ドゥビリー橋
La Seine
バトー・ムーシュ
BATEAUX-MOUCHES
コンコルド橋
ポン・ドゥ・ラルマ
PONT DE L'ALMA
Quai d'Orsay
INVALIDES
ブルボン宮
アッサンブレ・ナショナル
ASSEMBLÉE NATIONALE
Quai Anatole France
セーヌ河
La Seine
トロカデロ庭園
Trocadéro
Av. de New York
セーヌ河
Rue de l'Université
INVALIDES
イエナ橋
バトー・パリジャン（通年）
Bateaux Parisiens
Av. Bosquet
Rue St-Dominique
Bd. de la Tour Maubourg
Av. du Mal. Gallieni
オルセー美術館
Musée d'Orsay
Quai Branly
Av. Rapp
Rue St-Dominique
ソルフェリノ
SOLFÉRINO
パッシイ
PASSY
サンジャン教会
アンヴァリッド広場
Rue de Bourgogne
サント・クロティルド教会
シャン・ド・マルス・トゥール・エッフェル
CHAMP DE MARS TOUR EIFFEL
Av. Gustave Eiffel
エッフェル塔
La Tour Eiffel
LA TOUR MAUBOURG
VARENNE
Rue de Grenelle
サントーマス・ダカン教会
パントゥモン教会
RUE DU BAC
Bd. des Invalides
Rue de Bellechasse
ビル・アケム橋
Pont de Bir Hakeim
シャン・ド・マルス公園
Parc du Champ de Mars
Av. de la Bourdonnais
アンヴァリッド
ロダン美術館
Bd. St-Germain
Bd. Raspail
BIR-HAKEIM
白鳥の小径
Allée des Cygnes
Av. de Suffren
ÉCOLE MILITAIRE
Av. de Tourville
Rue de Varenne
Rue Vaneau
アルニス
ARNYS
ル・ボン・マルシェ
Le Bon Marché
ヴォーバン広場
陸軍士官学校
ST-FRANÇOIS XAVIER
セーヴル・バビロン
SÈVRES-BABYLONE
Rue d'Estrées
サン・フランソワ・グザヴィエ教会
Av. de Ségur
Av. de Lowendal
DUPLEIX
ラ・グランド・エピスリー（食品館）
Le Grande Épicerie
Bd. de Grenelle
LA MOTTE PICQUET GRENELLE
ユネスコ本部
Av. de Breteuil
Rue Eblé
Rue Saint Placide
RENNES
アヴェニュ・エミール・ゾラ
AV. ÉMILE ZOLA
Av. Émile Zola
CAMBRONNE
SÉGUR
ブルトゥイユ広場
ヴァノー
VANEAU
Rue de Sèvres
DUROC
Rue du Cherche Midi
ST-PLACIDE
CHARLES MICHELS
Rue de Vaugirard
Rue de Rennes
コメルス
COMMERCE
SÈVRES LECOURBE
ゾー
ZOO
FALGUIÈRE
MONTPARNASSE BIENVENÜE
NOTRE-DA DES-CHAM
N
0
500m
FÉLIX FAURE
PASTEUR
Rue du l'Arrivée
Rue du Départ
Rue Lecourbe
モンパルナス・タワー
Bd. du Montparnasse
VOLONTAIRES
Rue de Vaugirard
モンパルナス駅
Gare Montparnasse
BOUCICAULT
EDGAR QU

フランスの栄華と辛酸を見つめてきた

凱旋門

春の兆しを待ちわびる復活祭に始まり、
歩道の石畳を街路樹の葉陰が覆う夏から、
栗色の枯れ葉に西陽が射す秋へ。
やがて黒い枝が灰色の空に向かってのびる冬景色が広がる……。
シャンゼリゼ大通りとその向こうに聳《そび》える凱旋門の景観は、
透視図のように立体的でダイナミック。
凱旋門は、革命記念日にはパレードの起点となり、国賓歓迎の
大行事には旗がひるがえる祝祭ムードいっぱいのパリの表舞台なのです。
一九五六年一月二日、岸さんが初めて訪れたパリは、
ぼたん雪に覆われ、凱旋門も泣いているようでした。
パリへお嫁入りしたのはその二年後、すずらん祭りで賑わう五月一日。
凱旋門の先には、抜けるような青空が広がっていました。

1899年創業、シャンゼリゼのランドマーク的存在の老舗キャフェ「フーケッツ」。高級ブランド店が並ぶジョルジュ・サンク大通りとの角にある。凱旋門が見える開放的なテラスにて。

凱旋門

その日、パリには雪が降っていた。大きなぼたん雪だった。

日本に降る真っ白でふかふかとあたたかそうなぼたん雪ではなく、夕暮れの薄闇のせいか少し煤《すす》けて悲し気だった。私はコンコルド広場に一人立ち、降り注ぐ雪の紗《しや》がかかって、はるかかなたに遠く、幻のように立つ凱旋門を仰ぎ見た。

その遠い幻に向かって私は歩きだした。

驚くほど幅の広いシャンゼリゼ大通りには、葉が落ちたあとの、黒々とした裸木が、さまざまな形のシュールな枝をひろげ、まるでベルナール・ビュッフェの絵のように立ち並んでいた。

それは美しいメランコリックな光景だった。

映画「凱旋門」の中で、シャルル・ボワイエ扮する亡命外科医が、美しいイングリッド・バーグマンとカルバドスを飲んだ居酒屋はどの辺だったのだろう、と思いながら歩くうち、ぼたん雪は細《ささめ》雪《ゆき》になり、ついにはみぞれとなった。

近くで見た凱旋門は低く垂れこめた灰色の雲の下で泣いているように見えたし、建立者であるナポレオンが、例の風変わりな帽子を被り、片手を軍服の胸に入れてあたりを睥睨《へいげい》しているようにも見えた。

なんだかさびしいな、と思った。美しくて立派だけど、こんなさびしい街には住みたくないな、とも思った。

（30年の物語「プロローグ」より）

人生なんていうものは、予想もつかず、プランも立て得ないオツでドラマティックな出来ごとが、あるとき、突然、湧き起ったりする。

その突然の出来ごとを、見過して知らん顔をすれば、人生はそれ迄どおり、平々凡々と、あるいは平穏で安全な日々が続いてゆくのかも知れない。

見逃がさず、かなりの覚悟をもって、その非日常をキャッチする人には、それなりの危険や波乱はあっても、思いもかけない別の人生が拓《ひら》けてくる。私は後者を選んだ。

岸さんが初めて見た時の風景を髣髴（ほうふつ）させるという、コンコルド広場方向から撮られた一枚。冬のシャンゼリゼ。雪にけぶる凱旋門。

こんなさびしい街には住みたくない、と思った私が、そのときから二年も経たない一九五七年、五月一日に、私の二十四年間の歴史を、当時はもう二度と帰れないかも知れない母国日本に残したまゝ、凱旋門が君臨するパリ八区のオッシュ街に移り住んだのだから……。

個人的な旅行は許されず、持ち出せるお金は百ドルのみ。大使館や、新聞社の特派員以外、街で日本人を見かけることはほとんどなかった時代である。

移住の理由は結婚のため。夫となったイヴ・シァンピが独身時代を過した住いは、五階・六階をぶち抜きにした、天井が六、七メートルもある、風の吹きわたるアトリエ風のたたずまい。

六階にある玄関を入ると、魔法の国へ誘われるように曲りくねった廊下があり、その大きな円形の曲線の中に、十人以上は坐れる食卓のある、ゆったりとした厨房があった。

そこを通過すると左手に窓。身をのり出すと、意外な近さに凱旋門があった。

更に行くと、正面が、のちに私たちの愛娘が住むことになる二間続き、アントレ付きのロマンティックな屋根裏部屋。

その部屋に入る手前左側に両開きのアンティック風なガラスの嵌《は》め込まれた扉があり、そこを開くと光の洪水である。

まず、宙に浮いた円形の大きな踊り場のようなスペースがあり、そこがこの家の食堂なのだった。はじめての来訪者は、そこで「おッ！」と言って思わず立ち止まる。意表をつかれるのである。

踊り場の端から、十九世紀風の弧を描いた木製の階段がのびている。コバルト色の絨緞《じゅうたん》が渋い。

その手作りの彫刻入り手すりに右手を滑らせながら、六階の踊り場から、南北いっぱいに窓のある五階の大広間へと降りるとき、私はなぜか、グローリア・スワンスンか、わがお姑さま、世界的に名を馳せたヴァイオリニスト、イヴォンヌ・アストリュック・シァンピになったような気分がしたものだった。

グローリア・スワンスンが「サンセット大通り」の中で、そんな風に前世紀風の階段を、長いローヴの裾をひきながら、降りてくるシーンがあったような、なかったような……。

ともかくも、宙を歩くようなこの階段を、じゃじゃ馬のように天衣無縫《てんいむほう》。才能にあふれて機智にも富み、いつも眼を剥《む》くように奇抜なシャポーを被った、義母イヴォンヌは、レースの手袋を嵌めた右手を手すりに滑らせ、左手をひらひらと私たちに向けて振りながら、グローリア・スワンスンも顔負けするだろう威風堂々の笑顔でゆったりと降りてきたものだった。

世間（西欧の）は、不世出の男優、例えば、ルイ・ジュヴェや、ジャン・ギャバン。マーロン・ブランドなどへの讃辞として、「聖なる怪物」ということばを使うが、私の眼には、グローリア・スワンスン（と言ってもリアル・タイムで、この往年の大女優を見たことはない、たゞ一本「サンセット大通り」を深夜映画で観ただけである）や、わがお姑さまも、充分この讃辞に価する女性であったと思う。

世界中から観光客が集まる、賑やかで華やかなシャンゼリゼ大通り。その雑踏の中を、凱旋門からコンコルド広場へ向かって歩く岸さん。

もう、今の世には居ないような、ベル・エポックの代表選手たちが昇り降りしたら、さぞ似合うだろうと思うこの弧を描いた階段や、踊り場の食堂に代表されるように、この広々としたアパルトマンには、何か浮き浮きとしたレトロな趣がただよっていた。

それもそのはず、私が嫁入る三年ほど前に、ジャン・コクトオの「美女と野獣」を手がけた美術監督が、夫のために創意工夫をめぐらせて内部を改装した、芸術作品。人を惹きつける魅力が溢れていた。

そこに十八年間暮らした私には、知らないうちに常套的《じょうとう》ではないインテリアへの嗜《この》みが植えつけられたように思う。

けれどこの芸術作品を損ねないように気を使いながら、男の独り暮しから、女である私にも住み易いように、少しずつ自分の居場所を作り、壁紙を替えたり、バス・ルームを華やかに改装したりした。

最後の改装（風呂場のタイルをイタリアから取り寄せ、壁タイルを、それに合せて手作りで焼いてもらった）が終ってから、まだ一年も経っていない時に、また人生の思いがけない椿事が起り、私と夫は離婚することになった。

夫との別れは、特に娘にとっては耐えがたいものになった。幼い彼女はそのことを秘して語らなかったが……（7章「サンジェルマン・デ・プレ～カルチェ・ラタン」84ページ参照）。五月一日に私の愛したこのアパルトマンを出る時、二度と再びここに足を踏み入れることはないだろうと思ったし、心に誓いもした。

ところがである。持ち前の一徹さで、何としても五月一日には夫の家を出る！　との思い込みで、私は大事な書類を忘れて来たのだった。それは、公式文書や、書類の国であるフランスが、何かにつけて提出を要請する、家族手帳であり、結婚・離婚懇願書であり、娘の出生証明書などである。

それが緊急、必要な事態が起ってしまった。

カトリックの国の法律により、この時、私たちはまだ正式に離婚を認められてはいず、「別居」という偽善的な、仮離婚のような期間の中にいた。

　この制度をフランスの法律は「セパラシオン（離別）ドュ（の）コール（肉体）」と呼ぶ。まず、肉体的な別れ、つまり別居である。別居をしてお互いにもう一度よく考えろ、という、有難き神の思し召しを、私は糞喰え、と唾棄《だき》する。夫には既に再婚の相手がいるというのに！

　こんな微妙な時期に、何たること、私は泥棒猫のように、かつての我が家に書類や私のフランス国籍証明書を取りに入らなければならない羽目になった。

　夫が未来の妻と共に旅行中で、鍵を預っている、夫には三十五年、私に十八年もの間、誠心誠意つくしてくれた、執事兼コック長兼……つまり家事いっさいを取りしきってくれていたマダム・ラプロンシュは、蒼ざめた顔で私に言った。

「私は中には入りません。お一人で入って下さい」

「どうして？　私は入りたくないの。書類は窓際の私の机の抽出しにあると思うの。取って来てちょうだい。お願いよ」

「マダムの机！　そんな物もうありませんッ」

　彼女は怒ったように涙声になった。

「えッ？」

「いいですか、マダムの眼でしっかり見て下さいッ」

　彼女は決心したように、私と一緒にエレベーターに乗り、六階の玄関の鍵をあけた。

　大きく開かれたドアの向うには、信じ難い光景があった。

　回廊の壁紙ははがされ、台所には、食器棚も食卓も調理台もなく、たゞガランドウの空地があった。

　娘の部屋は見るも忍び難く姿を変え、両開きになっていたアンティックのドアも消え去り、私にさまざまなイマジネーションを招び起させた、あの弧を描いてのびていた十九世紀風の、彫刻入りのRampe《ランプ》（欄干）は姿を消し、階段そのものも、広間《サロン》の絨緞もすべてははがされていた。踊り場兼食堂の上に大広間の幅いっぱい細長くしつらえられ

かつて岸さんが、毎日お嬢さんを送迎する際に通った、モンソー公園の豪華な門。

ていた、淡い色のステンドグラスは木端微塵に砕かれ、サロンのあちこちにその破片が散らばり、午後の陽光にキラキラと光っていた。

私の十八年は、ここに瓦礫《がれき》と化した。

丸く広い踊り場を支えるように作られていた夫の書棚や、そこに並んでいた革表紙に夫のイニシャルを入れていた、初版物の彼の蔵書が、その時、どこにあったのか、書棚自体が毀《こわ》されていたのか、するとと踊り場の食堂はどうなっていたのか、全く記憶にない。

丸裸にされたサロンの中にあった単一の家具は、大きな夫の書き物机だけで、職人さんが埃りよけに被せたのだろうビニールをめくって、抽出しの中から、私は夢心地で必要な書類をつかむと、一歩一歩、猛々しく姿をかえた私の十八年の残骸を踏みしめて、今度こそ二度と来ることのないだろうアパルトマンのドアを閉めた。

マダム・ラプロンシュは涙を流していたが、私はどうだったのだろう。顔から血の気が引いてゆくのは分ったけれど、涙も出なかった。

喉の奥、もしかしたら胸の中にまで、大きなラムネ玉がつかえているようで息苦しかった。声が出なかった。

外に出ると、凱旋門が私を見下ろしていた。

私はふと、凱旋門が見たであろう、フランスの栄華や、辛酸を思った。

オステルリッツの戦いに大勝利を収めたナポレオンが建立を命じたこの壮麗な凱旋門は、けれどナポレオンが、自らが誇る軍隊をひきつれて意気揚々とくぐることはなかった。

古代ローマを思わせるように巨大な門が完成したのは、ナポレオンの死後十五年を経た一八三六年。流刑地セント・ヘレナで命尽きたナポレオンの遺骸が群衆の見守るなか、この凱旋門をくぐるのは、オステルリッツの勝利から、実に三十四年を経た一八四〇年のことだった。

私は今、ナポレオンの遺骸が凱旋した時より、ほぼ百年を経て、百万といわれるパリ市民の歓喜に包まれ、ナチス・ドイツに四年間占領されていたパリを解放した救国の将軍、シャルル・ド・ゴールが、人々より頭ひとつ高い長身を軍服に包み、辺り一面を埋めつくす群衆の、涙の歓迎に応えながら、徒歩で凱旋門をくぐり、シャンゼリゼ大通りを進んでいる写真に見入っている。

映画「史上最大の作戦」でよく知られる、ノルマンディー上陸作戦で、米英仏の連合軍が、ヒトラーのナチス・ドイツに勝利する迄の、さまざまな写真や、六〇年前の新聞。

特にナチス・ドイツ占領時に引きずり下ろされた、自由・平等・友愛のシンボル、赤白青のフランス国旗のかわりに、高々と掲げられたハーケンクロイツの旗。荒れ果てたシャンゼリゼ大通りを、軍靴を鳴り響かせて行進する侵略者たちを、市民は、そして凱旋門はどう見ていたのだろうか……。

部屋いっぱいに広げた、これら貴重な資料は、離婚が成立し、再婚してからほどないある日、前夫という肩書きに替った、イヴ・シァンピ自身が、私の仮住いに運び込んだものなのだ。

「この資料、戦死した地下運動の学生仲間や家族の写真は、是非ケイコに持っていてほしい。ぼくにとって、いちばん大事なケイコのそばに置いてほしい」

　みどりがかった彼のブルー・グレーの深い瞳がじっと私を見つめていた。私は黙って頷いた。

　凱旋して来るフランス兵を、ナチの残党から守るために、シャンゼリゼ大通りに土嚢《どのう》を積んで銃を構えている抵抗運動の人たち。

　それでも、凱旋のその日、市民と抱き合いながら喜び合うフランス兵に、コンコルド広場のナチが占拠していたビルの屋上から、ヒトラーを狂信する残党が、いっせい射撃を浴びせた。勝利のその日、これらスナイパーの餌食となった兵士や市民の数は少なくない。

「こちら、ロンドン」とラジオを通じて呼びかけて来た「自由フランス軍（地下運動）」のド・ゴールを慕って、夜陰のパリを出奔したイヴを含む十二人の医科大学生のうち、九人が戦死し、生き残った三人のうちの一人が、凱旋門をくぐる直前、木陰にひそんでいたナチの凶弾によって斃《たお》された。

　今、その時から六十年の歳月が経った。

　荒廃し、瓦礫と化したパリを、イヴ・シァンピ自身が十六ミリで撮っている。ナチに踏みにじられた母国を見て、彼が思ったであろう無残を、私は打ち砕かれたアパルトマンの残骸を見た時の、自分の無残と重ね合わせた。

　そして、それを見てしまったことを、最後迄イヴ・シァンピに言わなかった自分に感謝する。

　再婚の相手が、前妻と共に暮した十八年もの思い出を打ち毀したいのは人情である。

　私にとっては十八年でも、夫にとっては、両親の家から独立して以来、何十年にわたる、住み家であった。

　その解体作業を見るにしのびなく長い旅に出たにちがいない、彼の心の疵を思った。

　旅行から帰った彼は、二、三の友人と共に、義母から贈られた私達二人への結婚祝いである大量の銀食器を持って来てくれた。

「ママがデザインして注文した、ケイコとぼくのためのプレゼントだ。君に使ってほしい……」

人々に夢を与えた、あのノスタルジックなアパルトマンが、再婚者の手によってどんな風に改装されたのか、彼も話さなかったし、私も訊かなかった。

二人の間にあるのは、深い友情と、限りない懐かしさだけだった。

その彼が急逝してからすでに二十三年。

フーケッツのテラスに一人坐ってお茶を飲みながら、凱旋門を仰ぎ見る。

ぼたん雪を被っていた凱旋門。

サッカー・ワールドカップを手にした一九九八年の狂喜のフランス。

ド・ゴール将軍凱旋以来という百万の人出がシャンゼリゼ大通りを埋めつくし、ゴール・キーパーを讃えて、若い女性たちまでバルデス張りの剃髪をして凱旋門の廻りを飛び跳ねていた。

七月十四日、「パリ祭」と呼ばれている、フランス革命記念日には、パレードの最後に、凱旋門から突然湧き出したように、ミラージュ戦闘機数機が、赤白青のスモークを、青い空にたなびかせて、セーヌ河を伝って、我が家の上空を通過し、東の空へと消えてゆく。

五月革命と世に言われる、パリ大学（ソルボンヌ）ナンテール分校から巻き起った騒乱で、大統領としてのド・ゴールが失墜し、ほどなく永眠した時は、何十万という人々がシャンゼリゼ大通りを、追悼の赤いバラを胸に、ゆっくりと行進した。

その中に眼に涙をたたえた夫もいた。大統領としてではなく、抵抗運動の長として、フランスを解放した、救国の将軍へのオマージュだ、と言った彼を、私は沿道から眺めていた。

氷雨の降る寒い日だった。

美しい秋が過ぎ、冬が盛りを迎えると、凱旋門は光の海に浮かびあがる。

クリスマスから新年にかけて、葉の落ちたシャンゼリゼ大通りの裸木にからめて、煌めくように光の花が咲く。あまりにも華麗なその姿は、人の歴史の喜怒哀楽をおおきく包み込んで頷いているようにも見える。

二〇〇五年、十一月五日、亡き夫の二十三回目の命日に書いたこの原稿を、私の心からのオマージュとして彼に捧げたい。

アヴニュー・オッシュ、十番地

門を、今、正に入ろうとしているのか、出たところなのか、古いアルバムに貼ってあった二十五、六歳の私。


そして、それから幾歳月！　二度と足を踏み入れなかった、かつての我が家の門には、大きく古めかしかった取っ手がはずされ、今風に、住人だけに開閉されるように、防犯を考えた暗証番号の仕掛けがあった。

スタッフと共にアヴニュー・オッシュに降りてはみたものの、辺りが急に蒼ざめて見える。

晴れた日なのに、体がツララのように凍えて来た。門に近づくこともなく、シャッターの音を聴いたあとは、一目散に、凱旋門を背にして、娘の通ったモンソー公園へと走った。

結婚生活を送っていた、オッシュ通りの家の前でのショット。結婚後、岸さん25〜26歳の頃。

パリで最もうつくしいと私の思うモンソー公園は、我が家からほんの二百メートルほどの近さ。このきらびやかな門を入ると、その右側のいちばん奥に、公園に身を乗り出すようにして、娘が幼稚園からハイスクール迄通った学校がある。

その真向かいにある、やはり公園に面した邸宅を、私は、私のはじめての小説『風が見ていた』

凱旋門やシャンゼリゼに程近い、オッシュ通りの昔の家の前で。厚くて大きなドアは、取っ手はなくなっていたものの、昔のままのドアでした。

下巻に登場する、衣子と、その夫、ロイック・ラヴィリエの、愛の住み家とした。

ピトレスクな女性／イヴ・シァンピ妻を語る

結婚後の岸さんが仕事を離れ、マダム・シァンピとしてパリ・オッシュ街の大邸宅で暮らしていた頃、夫のイヴ・シァンピ氏が資生堂の広報誌『花椿』（一九六六年十二月号　訳／岸惠子）に寄稿したエッセイには、氏の愛情溢れる表現を通して、パリの生活に馴染もうとする岸さんの素顔が活写されています。

私が、次回作品のシナリオ製作に没頭している、ある日、「日本の女性ジャーナリストが、あなたに妻を語ってほしいそうよ」

と言う。間髪を入れずに、

「日本にはね、『妻をめとらば才たけて、ミメ美《うる》わしく情ある……』という、古めかしい、ステキないいぐさがあるの」

そこで、彼女はニヤリと笑い、「それよ、それよ」と言う。いたずらな目である。私は「ちがう、ちがう」

と言う。そして、私たちは、二人だけの共有の笑いで笑い出す。

彼女の唇に浮かぶ微笑には、自分がそうありたいとねがっているのか、そんな女はとんでもないと思っているのか、ちょっとわからない謎めいたイロニーがある。彼女は、たとえ話が好きであるが、自分がそのたとえにされることを、極端にきらう。これは、彼女の傲岸《ごうがん》さである。

女というものは、矛盾の結晶のようなものである。その矛盾が気にさわると、どうにも相手を受けいれられないものになるか、逆に、相手に愛着を感じさせるピトレスク（変化に富んだ）な魅力になるか、どちらかである。惠子は、その意味で大変ピトレスクな女性である。

結婚して九年。既婚女性にしばしばあるあまり美しいとはいえない所帯《しょたい》臭さが、微塵《みじん》もないのは不思議である。

それは、彼女のモラルが大変自由だからであろう。
「内助の功」という言葉は、フランスにもある。

彼女は、決してそのタイプでもない。私の仕事が彼女の気に入るものであるときは、じつに献身的な助力をしてくれる。ゾルゲ事件の映画化のとき

オッシュ通りにあったご自宅の書斎にて。「巴里の空はあかね雲」などのエッセイは、この机やシャントコック村にある別荘で書かれました。

など（日本では題名も変えられ、日本語版を再編集され、当時彼女は、魂をすりかえられたといって泣きさけぶほど怒っていた）一流のジャーナリストのごとき手腕で、貴重な資料を集めてくれた。かと思うと、あるとき、彼女の意見が聞きたくて、シナリオライターとの同席を求めると、

「ごめんなさい。今、ちょっとだいじな仕事をやりかけているの」

と言って、ピタリと部屋にとじこもったきり出て来ない。何をしているのかと思うとシャンソンを歌いながら、編み物などをしている。まことにさわやかな自由さである。

彼女は、二十五歳に満たずして結婚した。当時、日本の大スターであった彼女が、ある日、突如として、フランスという遠い国で一介の主婦となり、フランス映画界の真っただなかに暮らしながら、しかも映画出演をせず（私がそれをのぞまなかったから）、一人の女としての生活に没頭しはじめたとき、彼女は、やるせない映画と母国へのノスタルジーに悩まされたことと思う。そんなとき、大仏サマのような犯しがたい静けさで、じっと私をにらみすえていた。彼女の日本へのノスタルジーは、いまだに勝るともおとらないが、彼女の美点は、その完璧なパリジェンヌへのアドプタション（順応）にもかかわらず、ひとつのシヴィリザション（文化）から、もうひとつのシヴィリザションに同化した、あるいは感染した人間のもつ曖《あい》昧《まい》さがないことである。彼女の大変パリっ子的な物事の見方、考え方などの底に、つねに流れる日本的な魂は、おそらく何物によってもそこなわれない固さで、いつまでも彼女の深みに存在してゆくであろう。

彼女のサッパリしたやさしさ、鋭い感受性、そして、ときには男性的なきっぱりとした決断力や行動力を、私は好む。計算や打算のまったくない、動物的な触覚だけで人生を歩く女っぽさとそれが、アンバランスに共存している。

彼女はまた、思ったこと、いいにくいことを、ズバリといってのける。それが、かならず、あるユーモアとやさしさを伴っているので、相手にけ

っして不快さを与えない。これは、大変洗練されたテクニックである。

彼女は、動くとき、話すとき、笑うとき、持ち前の器量を発揮する、大変近代的な魅力ある女性である。

（書簡集 パリ・東京井戸端会議「ピトレスクな女性」）

幅約100m、長さ２㎞のシャンゼリゼ。歩く以外に、凱旋門の展望台から眺めるという楽しみ方もあります。

Arc de Triomphe 凱旋門
Place Charles-de-Gaulle 75008 Paris

■電　　話　01 55 37 73 77
■開館時間　10:00～23:00（４月１日～９月30日）、10:00～22:30（10月１日～３月31日）、入場は閉館30分前まで
■閉 館 日　１月１日、５月１日、５月８日の午前、７月14日の午前、11月11日の午前、12月25日
■入 場 料　８ユーロ

歴史を語る都心のオアシス

コンコルド広場〜マドレーヌ寺院

王政から共和制を勝ち取った革命時、
ギロチンが設置されたコンコルド広場。
ここからセーヌ河に架かるコンコルド橋のあたりは、
パリの主だったモニュメントがほぼ見渡せるパリの中心地です。
マドレーヌ寺院のギリシャ風円柱や正面階段、
チュイルリー公園の中世フランス式庭園、
そしてライトアップされた夜に、凱旋門まで続く光の祭典などなど。
コンコルド広場の、人、人、人でごった返す巨《おお》きな渦に巻き込まれると、
時間と地域が錯綜《さくそう》する歴史の磁場に
一人ポツンと佇んでいるような気がします。

コンコルド広場の噴水前にて。岸さんの右手にはシャンゼリゼと凱旋門、左手にはチュイルリー公園。背後に見えるのはコリント様式の列柱が特徴のマドレーヌ寺院。目前、広場中央にはオベリスクが立っている。

八角形に区切られたコンコルド広場中央には、エジプトから贈られた高さ23mのオベリスクが立ち、その足下にルイ16世とマリー・アントワネットの処刑を記すプレートがある。

花火の宵に人は群れる

私達は、コンコルド広場の人群れの中で、凱旋《がいせん》門《もん》から咲き出すパリ祭の花火を見ていたのであります。社会党政権になってから初めてのパリ祭は、例年と趣向をかえて、夜のパレード。

「騎馬隊が凄くいいの。いそがないと見そこなっちゃう」

あせってはみたものの、押し寄せる人、また人ではるかかなたで車は通行止、遂に、騎馬隊見られず、カッコいい外人部隊の行進も見られず、ただ、息を呑むほど鮮烈な花火が、少し低すぎる位置で、乱れ咲き、凱旋門を蜃気楼《しんきろう》のように浮き立たせているのが、なにかリアリティを欠いた不思議な情景でありました。

（巴里の空はあかね雲「花火」より）

セーヌ河の遊覧船から喚声があがり、その賑わいは船の進行につれてわが家から東のほうへ流れていった。

私たちは徒党を組んでパリ祭の花火を見にいった。

「子供のころ見た隅田川の花火とはまるでちがうんだ。あれも豪勢できれいだったけど、この国の花火は色や光りがもっと大人っぽくて深いんだ。悪だくみを腹にかかえたすばらしい美女の怖さ、だな」

誰かがつぶやいたときポツリと雨がかかった。雨は次第に激しい吹き降りとなり、花火は黒い夜空に濡れながら咲き、そして散った。

私たちも夜更けて散った。

（30年の物語「輪舞の外で」より）

フランス最大のお祭り、七月十四日の革命記念日（パリ祭）には、パリの夜空に次々と花火が打ち上げられます。花火の始まりは一八八九年、フランス革命百年祭に催されたパリ万国博覧会で、完成したばかりのエッフェル塔を際立たせるために仕掛けられた「光の演出」だったそうです。

パリで最も華やかな装飾の橋アレクサンドル三世橋からは、セーヌ右岸のグラン・パレやプティ・パレ（1900年のパリ万国博覧会のメイン会場として建てられた宮殿）、セーヌ河左岸のアンヴァリッド（ドーム教会にナポレオンが眠る）、はるか彼方にはエッフェル塔も見える。

もともとヨーロッパでは、花火は火薬として権力者の掌中にあった軍需品、フランスでも王家の即位や冠婚を祝う際の行事などで使われてきました。今でも、革命記念日には、エッフェル塔から打ち上げられた花火がパリの夜空を彩り、コンコルド広場周辺も、お祭り一色に染まります。

絢爛《けんらん》豪華な橋がドラマティックな天候に映えて

アレクサンドル三世橋の上は寒かった。

西の空を覆った黒雲の亀裂からこぼれるようにはじける黄金色の光りと、その黒雲の向う側に広い範囲で輝いているバラ色の雲が、奇妙な、しかしいかにもパリの空らしいゴージャスでパラドクサルなパノラマを作っていた。嵐を含んだ横なぐりの風にセーヌの川面《かわも》はざわめき、暮れなずむ暗雲とバラ色の雲の間にときどき雷光が走り、照れ臭いほどドラマティックな光景であった。（略）

やがて太陽が沈み、あたりがひとときの闇となった。残照に映《は》えて西の空が再び赫々《あかあか》と燃える前の、ひとときの薄闇である。

「ほら、セーヌ河が黒くなった。あなたと一緒にこれを見たかった。ヌムール村で見た闇夜に流れる黒い川。ぼくは一生忘れられないと思う」

ヌムールのような寒村とちがって、光りの都パリに流れるセーヌは闇に落ちることはない。河畔に建ち並ぶビル群の内部に煌々《こうこう》と灯された照明や、大観覧車の縁日のようにはかなくてなつかしいほの明かり、それよりもアレクサンドル三世橋自体の十九世紀初頭独特である絢爛豪華な金色の彫刻や、欄干に沿って立ち並ぶ美しい街灯の光りが、暗くなったセーヌ河に散乱して、日没前よりずっと華やかでにぎにぎしい。

（30年の物語「栗毛色の髪の青年」より）

一九六八年、夫のイヴ・シァンピ氏がプラハでロケ中、チェコスロバキアではアレクサンドル・ドプチェクの自由化政策によって、ソビエト共産主義の圧制からの解放運動が起こりました。ご主人に「ソ連型共産主義の変貌の様子を自分の目で見て、感じてはどうか」と誘われて、岸さんはまだ五歳のデルフィーヌさんの手を引いてプラハへ。

　プラハでは、栗毛色の髪と金髪の二人の青年との出会いがありました。その後、イヴ・シァンピ氏が彼ら二人とチェコ映画関係者二名の亡命を支援することになり、田舎の別荘（シャントコック村）を提供。岸さんと幼いデルフィーヌさんは、この村で彼らとひと夏を過ごしました。それからしばらくして、栗毛色の青年が第二の亡命拠点に向けてパリ・オッシュ街のシァンピ宅を出ていくとき、岸さんが見送ったのが、アレクサンドル三世橋だったのです。

ルーヴル美術館とコンコルド広場の中央に広がる、チュイルリー公園の池にて。

　一九〇〇年のパリ万国博覧会の時に架けられたアレクサンドル三世橋は、パリの右岸と左岸を結ぶたくさんの橋のなかでももっとも華麗な橋。アーチ型の橋げたや欄干一面に、人や動物、花などの繊細な彫刻がほどこされ、四隅に立つ高さ二十メートルの柱には、黄金のブロンズ像も輝いています。名前の由来は、一八九三年の露仏同盟締結を記念して、ロシア皇帝アレクサンドル三世の名を冠したものです。

　栗毛色の髪の青年は亡命という大義のさなか、年上の岸さんへの思慕を隠そうとしませんでした。岸さんは彼のことを亡命を志す小国の一青年と見なしながらも、「大国に囲まれた弱い国に生まれた人間がどうやって生きていけばいいのか。図々しいくらい勝手気ままで、自分のことを考える青年だった。そうしないと生きられないでしょうし、それが不愉快に感じなくてとても魅力的だった」と、ある種の共感を抱いていました。

　アレクサンドル三世橋にまつわる岸さんのエピソードのように、パリを舞台にした物語（例えばビクトル・ユゴー著『レ・ミゼラブル』など）をたどって歴史をひもとくのも旅の楽しみ方のひとつ。想像の翼を広げて街を歩くと、小径の石畳や街灯もいわくありげな表情に見えてきます。パリは物語の街なのです。

世界屈指の美と出合う

ルーヴル〜パレ・ロワイヤル〜オペラ座

ルーヴルからパレ・ロワイヤル、オペラ座に至るオペラ通りは、
芸術、歴史、モード、いずれも見所たっぷり。
ルーヴルに集められた世界屈指の美術品、
オペラ座のさまざまな様式を組み合わせた建築美、
絢爛豪華な内装、
パレ・ロワイヤルのレトロな回廊など
社交界華やかなりし貴族たちの面影を追って、
十八、九世紀のヨーロッパに時間飛行できる
とびきりエレガントな地域です。

リヴォリ大通りを挟んでルーヴル宮の北に位置する「パレ・ロワイヤル」。18世紀のレトロな庭園を囲む回廊には、高級古着や銀食器などを扱う店、キャフェやレストランが並ぶ。

ノスタルジックな回廊で時間の狭間を彷《さ》徨《まよ》う

人妻の恋なんていうのは、フランスが本場のようなもので、特に、パリの上流社会には、わりとザラにみられることで、人たちは、これを称して、「五時から七時」というのだけれど、これは、子供も大きくなり、昼食に人を招いたり、招かれたり、食べ終わったあとにも、コニャックやコーヒーや、最後に、フルーツ・ジュースなどを飲んで、おしゃべりも済み、おひらきになるのがやっと四時頃、それから、おもむろに女中さんを手伝って、サロンの後片づけをして、夜の献立も出来上がり、ホッとすると五時。（略）

さて、さて、いろいろなお役目をすませて五時頃にホッとした女性は、それから夫が帰ってくる七時頃まで外に出て、恋人に逢うという算段。女はいいとしても、働き盛りの男一匹、五時から七時までの二時間、社会的諸活動を停止させて情事にふけるというのはそこに、並なみならぬ、対会社、対家庭へのアクロバチックな工夫とテクニックがいるんではないかしら、と、私はいつも不思議に思います。

もっとも、「五時から七時」というのは、もののたとえで、情事なんていうものは、時かまわず、処かまわず行なわれるものにちがいないのに、そこは、日本人の律儀さで、このはなしを聞いて以来、五時から七時頃の間に、シャンゼリゼや、ブローニュの森のキャフェ・テラスなどで、うっとりと眼と眼をみつめ合ってる中年のカップルをみかけると、ハハーン、やってる、やってる、などとやけに感心して眺め入ったものです。

（書簡集　パリ・東京井戸端会議「1971」より）

コンコルド広場からチュイルリー公園、そしてルーヴル宮などの観光スポットに面したリヴォリ大通りは、パリでもっとも交通量の多い通りのひとつ。そして不思議なことに、この道を渡った先にひっそりと、数世紀昔の匂いを残す一角があります。パレ・ロワイヤルです。

パリの中央にありながら静かな空間を保つ「パレ・ロワイヤル」。庭園中央の噴水にて。走り遊ぶ子供たちの姿に、目を細める岸さん。庭園の開園時間は7：30〜20：30。

一六三二年、枢機卿《すうききょう》リシュリューが建てた館ですが、彼の死後王家に贈られ、ルイ十四世が幼いころに棲んでいたため「王宮（パレ・ロワイヤル）」と呼ばれたものです。

その後、年少のルイ十五世の後見・オルレアン公の居城となり、一七八四年に五代目当主ルイ・フィリップ・ド・オルレアンが、中庭を回廊付き商店街に改装して一区画ごとに売り出したことから、一夜にして華やかな盛り場に変身。パリの政界、金融界、商業界などブルジョワジーを初め、本を求める学生やジャーナリスト、流行品を身につけたい淑女たち、さまざまな階層の溜まり場となりました。

パレ・ロワイヤルは、七月革命の舞台としても有名です。一七八九年の七月十二日に行われた「デムーランの演説」をきっかけに、バスティーユ監獄の襲撃が始まったことでも知られます。やがて、ルイ十六世とマリー・アントワネットの処刑後、一七九三年からジャコバン派による恐怖政治が始まりました。ジャコバン党首のロベスピエールも、一七九四年七月二十六日にここで恐怖を煽《あお》る「テルミドールの演説」を行いました。しかし翌日の議会で彼は、穏健派の要求により逮捕・処刑されました。このクーデターで成立した総裁政府も、一七九九年ナポレオンにより政権を

「パレ・ロワイヤル」正面の中庭を彩るダニエル・ビュラン作のモダン・モニュメント。高さの違う約260本のストライプの円柱が並んでいる。

奪われ、フランス革命は終結を迎えます。

　こうして革命とともに華やいだパレ・ロワイヤルも、ナポレオン失脚後の一八三〇年に即位したオルレアン家六代目のルイ・フィリップが、賭博場、娼館を閉鎖すると、瞬く間に寂《さび》れてしまいました。わずか五十年ほどの繁栄でした。

　その後は、栄華のあとを感じさせるアンティークのジュエリーや銀食器、古本屋、帽子屋などが軒を連ねています。また、この界隈の懐古的な匂いに惹かれた文化人も少なくありません。ジャン・コクトオは第二次世界大戦の前後に、作家のシドニー・ガブリエル・コレットは亡くなるまで、ここの回廊にある静かなアパルトマンの住人でした。

四百年に及ぶ美術品が眠る美の巨大空間

　私は朝に弱い。起きてから一時間は朦朧《もうろう》として頭も体も使いものにならない。現場集合六時半の生中継ともなるとほとんど眠れず、三時に起きて家の中を右往左往。コーヒーを四、五杯飲んでうっすら悲しくなったりする。その〝うすら悲し〟を吹き飛ばすために、私流の騒々しくも健気《けなげ》な時間が、初めは緩慢に、最後はコマネズミのようにせわしなく過ぎる。

　こうして私は十一月三日、夜から抜け出たばかりのルーヴル美術館の前にマイクを持って立った。

　東京の声が入るイヤホンの調整ができたのは本番二分前。指で押さえていないと聞き取りにくい。きれいに晴れ上がった空に風が出て髪が散る。帽子をかぶろうか、と迷ったのが本番二十秒前。こういう時の二十秒は短いようで長い。髪は風にまかせ、ダ・ヴィンチの「巌窟《がんくつ》の聖母」や「モナリザ」。「ナポレオンの戴冠式《たいかんしき》」、それを描いたジャック・ルイ・ダヴィッドの栄光と挫折。浪漫派に移ってテオドール・ジェリコーの「メデューズ号の筏《いかだ》」などが頭に充満してきた時、東京から「巴里の岸さん……」と声が掛かる。それからの時間はほとばしるように流れる。

　文化の日、ＮＨＫＢＳ２の美術めぐり、巴里《パリ》編、ルーヴルとオルセーを結んでの二元生中継。オルセー担当、柏倉康夫さんの解説に聞きほれながら、

いつバトンタッチされるのか分からない危ない数秒間に搖れる異様な緊張感。コンビを組んだ日比野克彦さんとは初対面なのに息もウマも合った、とは私側の感想。

ドダイ、四百年間の名画の数々を生中継で慌だしく駆け巡るのはムリ、と思った私が、あっという間に過ぎた一時間半ののち、テレヴィはやっぱり、生にかぎる、と平気で変節するのもテレヴィ的。自らの無節操に嗤《わら》いながら、あ、「田園の奏楽」に描かれたニンフの節操の話を忘れたかしらん、と反省しつつ、睡魔の中に体が溶ける。

映画にしてもテレヴィでも、本番という時間帯には不思議な魔物が棲んでいて、私はそこのまぎれもない住人であるのだ。

（私の人生 ア・ラ・カルト「巴里からの生中継」）

約四十万平方メートルの敷地に大きなコの字を描くルーヴル宮は、三十万点に及ぶコレクションを収蔵する世界三大美術館のひとつです（あとの二館はイギリスの大英博物館とロシアのエルミタージュ美術館）。

美術館の誕生は、革命下の一七九三年、宮殿の一部を中央美術館として開館したのが始まりですが、かくも大規模な美術館誕生の歴史を遡ってみると、時の権力者たちが美の力を借りて威信を誇示する様が見てとれます。

ルーヴルはまず、十三世紀初めに城塞として建てられ、十六世紀にフランソワ一世によりルネッサンス様式の王宮に改装されました。そのとき、宮廷画家としてフランスに招かれたのがレオナルド・ダ・ヴィンチ。「モナリザ」に代表される当時の王室コレクションが、今日に至るルーヴル収蔵品の基礎になっています。その後、ナポレオンの時代に、遠征先のエジプトやイタリアから膨大な戦利品が運ばれ、ナポレオンの遺志を継いだナポレオン三世が、南側のドノン翼、北側のリシュリュー翼などを建て、現在のルーヴル宮の規模に完成させたのです。

さらに、故ミテラン大統領による「グラン・ルーヴル計画」で、一九八九年には「ナポレオンの庭」にガラス張りの巨大ピラミッド（イオエ・ミン・ペイ設計）が誕生。それまであちこちに散らばっていた入り口が一ヵ所に集結した、地下の「ナポレオン・ホール」が新設されました。

ウインドーショッピングには誘惑がいっぱい

女にとって、ウィンドーショッピングが愉しいのは、買いたいものの十分の一も買えない、胸の沸く苛《いら》だちなのではないでしょうか。

趣味として、私の好きなショーウィンドーは、突飛で、華麗で、何としても実生活とは結びつかない類のものです。

岸さんとも親交深いフランス人アーティスト、セルジュ・ルタンス氏がプロデュースする香水専門店「レ・サロン・デュ・パレロワイヤル・シセイドー」で、多彩な香りを楽しむ。

そして、その粋をきわめた特殊芸術が、惜しげもなく咲いては散り、散ってはまた一夜のうちに、ショッキングな変貌ぶりを見せるのが、パリの大商店街、フォーブルサントノーレ通りであります。

この通りの、流行を追うために流行にすたれ、すたれたものには未練を残さず、つぎつぎに新しいものを作り出してゆく、エネルギッシュな美意識は見事です。

フランスという、古いものにしがみついているような保守的な国に住みながら、私はついに、そのブルジョワ的傾向を身につけませんでした。

私はすぐに萎えてしまう切り花が好きです。

一シーズンたてば、すぐ流行おくれになる洋服が好きです。一生、長持ちする何百万円のミンクや、チンチラのコートを、後生大事に抱えてくらすより、一年で、倦《あ》き、すたれてしまう、いのち短いヒッピー風のコートのほうが好きです。

全財産をひけらかすような、何カラットもの、光り輝くダイヤモンドの指輪より、人間の知恵やイマジネーションがおりこまれた、細工のすばらしいアクセサリーのほうに、百倍もの魅力を感じます。

（私の人生 ア・ラ・カルト「浮気心とショーウィンドー」より）

フォーブルサントノーレ24番地。通りのランドマーク的存在、エルメス本店。ここのショーウインドーは、フランス一美しいと評判。

パリのモードは、「セーヌ右岸は高級店、セーヌ左岸はデザイナーズ」と言われていますが、さらに細かく「通り」ごとにも個性が光ります。例えば、グラン・メゾンのブティックが軒を連ねる最高級エリアがふたつありますが、両方の通りに店を構えるブランドも多いのに、通りに漂う雰囲気が微妙に異なるから不思議です。

その一つ目は「トリアングル・ドール（黄金の三角地帯）」と呼ばれるエリアで、シャンゼリゼ大通りとジョルジュ・

サンク大通り、モンテーニュ大通りの三本の大通りに囲まれた一帯。

そしてもう一つが、エリゼ宮からマドレーヌ大通りまでの「フォーブルサントノーレ」ですが、こちらのほうがモンテーニュ大通りより、気品と落ちつきを感じさせ、ショーウインドーも店内もゆっくり見て回ることができます。

このふたつのショッピングゾーンの他にも、パリにはおしゃれ好きには見逃せない通りがたくさんあります。セレクトショップが集まるマレ地区の「フラン・ブルジョワ通り」。エネルギッシュな若者文化が集まるレ・アール地区の「エティエンヌ・マルセル通り」。靴、バッグ、アクセサリーの専門店が集まるサンジェルマン地区の「シェルシュ・ミディ通り」。同じくサンジェルマン地区の、インテリア、家庭用品の揃う「サン・シュルピス通り」や、パリ一の靴好きのための「グルネル通り」などなどです。

「エルメス」と市川崑監督

私の恩師である市川崑監督は、とてもおしゃれ

幸田文原作の映画「おとうと」(1960年)。岸さんが市川崑監督と初めてお仕事された、思い出深い作品。

な人。ふつうのおしゃれではなく、見る人が見ないと分かりにくい〝通〟のおしゃれ。前歯にタバコをくわえ、毛糸編みのシャッポー。若い時は、細く長い指や手を、ヒラヒラと舞うように動かして手品師のようだった。

漫画家志望であったらしく、絵コンテも上手いし、ご自身の体もマンガチックに小粋に動かす。映画「悪魔の手鞠唄」（一九七七年）のスナップ写真（写真下）のように、両手をゴリラのようにだらりと垂れ、少し前かがみになっていて、私のはなしを聞いてくれている姿は、市川流にさまになっていて私の好きな写真。

脇に抱えているのは台本と、私がエルメスに特注してプレゼントしたボルドー色の革の台本挟み。手作りで周りは麻色の糸で手縫い。「KON・ICHIKAWA」と縫い取りをしてもらった。

二十年近くも愛用して下さったその台本挟みは、数々の名作台本と、その経た歳月のため、すっかり古びてしまった。

映画「かあちゃん」（二〇〇一年）で、先生がモントリオール映画祭の監督栄誉賞を受賞され、私も各新聞で絶賛の批評をいただき、日本アカデミー賞の最優秀主演女優賞をいただいたことを記念して、私は再びパリのエルメスを訪れた。

二十年も経ったのに同じ職人さんが出迎えてくれたのが嬉しかった。先生の注文通り、前と全く同じ色の革、同じ糸の縫い目。同じ寸法。

艶やかな出来上がりは素晴らしかった。なめらかなボルドー色の革表紙を撫でながら、私ははっとした。台本の厚さがちがうのだッ。

フランスやアメリカの台本は、コンテやカット

「悪魔の手鞠唄」の撮影風景。山家の温泉宿の女将に扮した岸さんとエルメスの台本挟みを持つ市川監督。

山本周五郎原作の人情時代劇。映画「かあちゃん」で岸さんは、貧乏長屋で５人の子供を育てる気丈夫な母「おかつ」をいきいきと演じた。

割りまで書いてあるので、日本のト書きと、科白だけの台本より五、六倍は厚い（日本ではカット割りやコンテは、撮影当日に、その日の分だけ小冊子のようにして配るのが習慣）。

にこにこと手渡してくれる職人のおじさんに言い出しかねて、私はすごすごと日本へ帰る。

「ありがとう恵子ちゃん。これでいいよ。ゴムヒモを渡せば台本も落ちないし、とてもいい出来だよ」

私は先生の完璧主義をよく知っているし、そういう私自身が留め金にもちょっとした狂いがあることに気づき、なんとも気分が落ち着かなく、パリへ帰ってまたまたエルメスのアトリエ（ここは一般の顧客は入れない）を訪れた。

今度はちゃんと日本の台本を見本のために持っていった。何と間抜けなことだろう。最初から見せていたら二度手間は省けたのに——。

「ケイコ、世界の巨匠コン・イチカワのためなら、何度でもやり直すよ」

と秒読みのスケジュールを抜けてアトリエに駆

けつけてくれたのはエルメス社長のジャン・ルイ・デュマだった。その上、二度目の台本挟みは是非自分からのプレゼントとさせてくれと言ってもくれた。

ジャン・ルイとレナ夫妻の寝室には、一時、市川崑監督初演出、私が日本での初舞台を踏んだパルコ劇場での「情婦」（アガサ・クリスティ原作）の大きなポスターがかかっていたし、二人とも映画「ビルマの竪琴」の大ファンである。

「セット撮影が終わったある日、自前の服に着替えた私を撮って下さったスナップ。この写真をとあるコンペティションに出された先生は、最優秀賞を受賞されました」

彼らの一人娘サンドリーヌ・デュマと私の一人っ子デルフィーヌは、幼稚園からハイスクール迄の友人で、今は共に二児の母。お互いに長男のカトリック上の教母になっている。余談だがサンドリーヌ・デュマは短編映画「ガードマン」（思春期の姉弟のきわめて今風スケッチ）の出来栄えで、ベルリン映画祭の審査員賞を受賞した。私の娘が音楽を担当し、これはこれで私を驚かした。

ことほど左様に、デュマ家とシァンピ家は三十五年前からひじょうに親しく、冬のスキーには二家族連れ立って行ったものだった。

このフォトエッセイ集で、余人の入れないそのアトリエを是非、取材したかったが、あの人の好い名職人は、既に退職して居ないと聞き、諦めた。

話を市川監督流のおしゃれに戻すと、彼のおしゃれな贅沢は、ノート、紙類いわばあらゆる文房具に執着することである。

すべてがエルメス製。雑記帳も、手帳もメモ帳も手作りで縫い取りのあるステキな品々である。こだわる人の面目躍如のエピソードでありました。

エルメス

MAP C2

一八三七年、高級馬具店として始まり、ナポレオン三世をはじめ上流階級を顧客にもち発展し続けてきたエルメス。特に革製品のクオリティは群を抜き、最高級の職人たちの手から生み出される製品は世界中からの羨望を集めています。モナコ王妃となったグレース・ケリー愛用の「ケリー」、女優ジェーン・バーキンが好んだ「バーキン」など、時代の空気を柔軟に取り入れた数々のモデルは、モードの歴史ですらあります。洋服部門では、二〇〇四年からジャン・ポール・ゴルティエがデザイナーに就任し、魅力的なコレクションを発表し続けています。

▲美しい仕上がりのバッグ類が並ぶグランドフロア。数ヵ月待ちの入手もいとわない人々で賑わいます。上階には洋服、靴、時計、ジュエリーなどが。

◀サントノーレ通りがフォーブルサントノーレ通りと名を変えてまもなく見えてくる「エルメス」本店。

レイラ・メンシャリ女史が手がけて30年近くになる芸術的なウインドー装飾。

HERMÈS エルメス
24, rue du Faubourg Saint-Honoré 75008 Paris

■電　話　01 40 17 47 17
■営業時間　10:30〜18:30
■定 休 日　日曜

オペラガルニエ

MAP D2

ナポレオン三世様式の壮麗な建築美を見せるオペラ座は、並み居る世界的建築家をしのいでコンペティションを勝ち取った、当時まだ三十代だったシャルル・ガルニエの設計によるもの。観劇とは別に、建物そのものを見学することができます。

オペラ大通りの真正面にそびえるオペラガルニエ。色大理石がふんだんに使われた中央階段、鉄の時代の予兆を感じさせる装飾等々、豪奢このうえない。

客席の天井を飾るのは1964年に完成をみたシャガールの作品。オペラやバレエ作品に想を得たもので、パリの名所もちりばめられている。

Opéra Garnier オペラガルニエ
Place de l'Opéra 75009 Paris

■電　話　01 40 01 22 63
■見学時間　10:00〜16:30（午後に公演のある日は〜12:30）、不定休
■入館料　7ユーロ
公演スケジュールは、公式サイトwww.operadeparis.frで。

深紅のベルベットと金の装飾が、幕開きの高揚感をさらにかきたてる客席。現在の上演は、国立バレエ団によるものが主で、オペラの大作はバスティーユの新オペラ座に譲る。

ルーヴル美術館

MAP D3

「モナリザ」「ミロのヴィーナス」をはじめとする世界に名だたる美術品の宝庫として有名なルーヴル美術館は、パリきっての観光スポット。世界中の人々をひきつけてやまない名品を収めた建物そのものにも、かつての王や皇帝たちの住む宮殿として、何世紀ものあいだにわたる増築を重ねてきた歴史があります。

修復が済んで再公開された「アポロンの間」の見事な内装。

Musée du Louvre ルーヴル美術館

■電　　話　01 40 20 50 50
■開館時間　9:00～18:00、水曜と金曜は～21:45
■休 館 日　火曜、祭日
■入 館 料　8.50ユーロ、夜間開館日の18:00以降は 6 ユーロ、毎月第 1 日曜は無料

伝統と現代性を大胆な形で融合させせ、発表当初は景観論争を巻き起こしたガラスのピラミッド。この一部がメインエントランスとなっている。

コメディ・フランセーズ

MAP D2

十七世紀終盤、ルイ十四世の庇護のもとに生まれた劇団から発展を遂げてきた国立劇場コメディ・フランセーズは、いわばフランス演劇の最高峰。とりわけ、パレ・ロワイヤルの一角に位置するリシュリュー劇場は、モリエールやコルネイユによって書かれた古典劇の上演で知られる由緒ある場所です。

歴史の重みが感じられるような客席へと登る階段。

Comédie Française コメディ・フランセーズ
Salle Richelieu, place Colette 75001 Paris

■電　　話　01 44 58 15 15
■受付時間　11:00〜18:00
公演スケジュールは公式サイトwww.comedie-francaise.frで。

長細い四角の枠の形をしたパレ・ロワイヤルの、コレット広場側に位置するコメディ・フランセーズ。お芝居に関連したグッズを集めたブティックもある。

レ・サロン・デュ・パレ・ロワイヤル・シセイドー

MAP D2

パレ・ロワイヤルのギャラリー街でひときわシックなたたずまいを見せるこのサロンは、香水という芸術の粋を形にして見せてくれるような空間です。オリジナルの香水そのものをはじめ、外観、室内装飾のごく細部にまでフランス人アーティスト、セルジュ・ルタンスの冴えわたった美意識で貫かれています。

◀上階のサロンでくつろぐ岸さん。ゆったりとした雰囲気のなかで香りのもつ奥深い世界にふれることができます。

▼黒と紫をベースにした美しい店内でさまざまな香りを聞けば、つかの間、異空間への旅をしているような気分になります。

Les Salons du Palais Royal Shiseido
レ・サロン・デュ・パレロワイヤル・シセイドー
142, Galerie de Valois 75001 Paris

■電　話　01 49 27 09 09
■営業時間　10:00～19:00
■定休日　日曜

ア・マリー・スチュアート

MAP D2

コメディ・フランセーズに隣接するブティックは、勲章の専門店。世界中の国々の数えきれないほどの種類があるという勲章は、ほとんどが新品。タイトルのない人でも買うことができるそうです。ただし、フランスでは、その位のない人が付けて表に出ると罰せられるのだとか。

フランスでも最も歴史のあるメゾンのひとつで、この場所ですでに4代続いているという老舗を訪ねる岸さん。

勲章をはじめ、軍隊や組織の徽章や国旗も扱うお店。興味深いウインドーに足を止め、しばし目を凝らす人の姿も多い。

まるでジュエリーのようにさまざまな細工が施された勲章はリボンの色もカラフル。

A Marie Stuart ア・マリー・スチュアート

3,4 et 5, Galerie Montpensier 75001 Paris

■電　　話　01 42 96 28 25
■営業時間　9:00〜12:30、14:00〜17:30
■定 休 日　土曜、日曜

ア・プリオリ・テ

MAP D2

十八世紀末から十九世紀に建設された数々の「パッサージュ」のうちでもひときわ明るく美しい「ギャラリー・ヴィヴィエンヌ」。その中ほどに心地よいサロン・ド・テがあります。ほぼ四半世紀の間、パリっ子に親しまれてきた手作りのお菓子はたっぷりサイズ。お茶とともに、くつろいだ時間が流れます。

テラス席の岸さん。自家製ラズベリージャムとマーマレードが添えられたスコーン（6.50ユーロ）と、こくのある本格ホットチョコレート（５ユーロ）でひと息。

その昔、紳士淑女で華やいだギャラリー（回廊）。天井からの柔らかな光がいい。

A PRIORI THE ア・プリオリ・テ

35-37, Galerie Vivienne 75002 Paris

■電　　話　01 42 97 48 75
■営業時間　9:00～18:00（土曜は～18:30、日曜は12:00～18:30）
■定 休 日　無休

美を磨くエステティックサロン

パリのサロン・ド・ボーテ

晩餐会の宵、完璧な夜会服姿のために
岸さんや上流マダムたちを美しく磨き上げたサロン・ド・ボーテ。
最近では、仕事を持つパリジェンヌや
疲れを癒す旅人たちの人気スポットとして注目されています。
ゆったりした個室で、さまざまなスパや伝統的アロマ療法など、
パリならではの洗練されたケアに身を委ねれば
魔法の時間が流れます。

フォーブルサントノーレにある「カリタ」にて。エントランスにある吹き抜けの白い螺旋階段が印象的な店内。上階には施術用の個室やウェイティング・ラウンジ、ジムなどが。1階奥にはヘアサロンがある。

美は見られること、称賛されることで磨かれる

帰って早々、十五日の夜、シャルバン・デルマス総理大臣邸に、ユーディ・メニュヒーンのレジヨン・ド・ヌール勲章授賞パーティに招《よ》ばれました。ジーパンに、はだしの毎日から、いきなりシャンデリアの輝く総理大臣邸に移植されて、しみじみとパリへ帰った実感をもちました。（略）

この日はじめてメニュヒーンに逢って、びっくりしたわ。ああいう眼をしたひとに私はあまり出逢ったことがない。パーティのあと、フランソワ・レッシャンバックの作った一時間二十分ほどの『ユーディ・メニュヒーン』という映画のプレミアがあった。場所はシャンゼリゼにあるピュブユリシス。来ているひとたちは殆どが音楽家。映画人は、ジェラール・ウリイとミッシェル・モルガン夫妻だけだったわ。日本の週刊誌などが大喜びする「パリの社交界の人たち」のお集まりよ。

（書簡集 パリ・東京井戸端会議「1971」より）

イヴの仕事の関係で、五月十日頃、カンヌ映画祭に、三、四日お供します。その後、例の、サム・スピーゲル氏から、彼のヨットへ招待されています。一か月ぐらい気の向くままの船旅をしてみないかと言って……。そこで私は、国際的な大スターたちと入り混って、昼間はビキニ、夜はローブ・ド・ソワールで賑々《にぎにぎ》しく、派手バデしい、極端に、ソフィスティケイトされた日夜を送ることでしょう。そして、それはいかにも私の性に合わないうわずった、友情や即席の親密感や、ひじょうに洗練された、トンチや、ユーモアやが飛びかう独特な雰囲気の毎日であるのでしょう。そうなれば、そうなったで私は、大変場慣れのした、社交的な女に変身する自分を知っています。だけど、それは、私の本性ではないわ。

（書簡集 パリ・東京井戸端会議「1972」より）

一九七〇年代に岸さんが友人の秦早穂子《はたさほこ》さんに宛てた手紙には、政治や国際問題など岸さんが異文化の中で悩むこ

とがらが切々と綴られていますが、その合間にレポートされるパリや別荘でのくつろいだ話からも、フランスの風俗や社会現象が生き生きと伝わります。フランス人は休暇を大事にし、夏のバカンスだけでなく、週末もパリを離れて田舎暮らしを満喫します。女優であり、イヴ・シャンピ夫人として社交的おつきあいをこなす岸さんが、昼と夜、田舎と都会でガラリと変身する様子がさりげなく描かれ、岸さんの素顔を知ることができる貴重な往復書簡です。

人の印象は、洋服、ヘアスタイル、持ち物、姿勢やしぐさなど、まず外見で判断されます。例えば、夜会といえば、かの社交界の女主人、ポンパドール夫人のふわりと結い上げた夜会巻など、ヘアスタイルが人に与えるイメージは強力です。

「カリタ」は、パーティーやオペラ鑑賞など、正装する機会の多い上流マダム御用達の美のトータルサロンとして発展しました。ブリジット・バルドー、カトリーヌ・ドヌーヴのお気に入りサロンでもあり、現在も社交界や芸能界のセレブリティがこぞって顧客リストに名を連ねる美の名門です。映画「勝手にしやがれ」でシャンゼリゼを闊歩しながらJ・P・ベルモンドをからかうジーン・セバーグのベリー・ショートを始め、数々の流行発信源としても知られています。

総理大臣邸での勲章授賞パーティーに招かれた際、カリタのスタイリストに、サロンにて結い上げてもらったという、夜会用の髪型。岸さん、27〜28歳の頃。

カリタ

MAP C2

贅沢なブティックが軒を連ねるフォーブルサントノーレ通りから長いエントランスを抜けてガラス扉を開ければ、そこは美の殿堂。プライベートな施術室やヘアサロンなどが三つのフロアに悠々と配されています。メゾンの始まりは、ロジーとマリア、カリタ姉妹の美容室。そんな歴史もあり、最新の全身美容はもちろんのこと、ヘア、メイクまでのトータルケアが充実しています。

ウェイティング・スペースなどもゆったりと。ちょっとしたコーナーのあしらいも行き届いています。

▲人気のフェイスケアは、保湿、リフティングなどの数コースがあり、それぞれ１時間から１時間半。料金は80ユーロ～。

▶温めた火山岩の熱とゆっくりとした動きのマッサージ効果によって体の芯からの活性をはかる全身ケア。90ユーロ～。

CARITA カリタ
11, rue du Faubourg Saint-Honoré 75008 Paris

■電　　話　01 44 94 11 11
■営業時間　10:00～18:30　エステは要予約
■定 休 日　日曜（月曜はブティックと予約受付のみ）

▶「カリタ」を出て、フォーブルサントノーレ通りのウインドーショッピングを楽しむ岸さん。

スパ・ニュクス・32・モントルグイユ

MAP E2

自然派の基礎化粧品としてフランスで支持者の多い「NUXE《ニュクス》」。三年前にこのサロンがオープンしたことで、ブランドのエスプリをスパでも体感できるようになりました。木や水といった要素を意識的に取り入れたアジアンテイストの個室で、心身ともにリラックスできます。一ヵ月前からすでに予約で埋まっているという人気スポットですが、直前のキャンセルが出ることもあるので、短い滞在中でも可能性はあります。

鉄の扉の奥に入り口があります。

▲いかにもパリらしいアーチ形の石壁の地下空間。奥の床にはせせらぎのしつらえを取り入れるなど、洋の東西の融合が静かなハーモニーを奏でています。隣接してハマムもあります。

▶草花や樹木のエッセンスなどの植物成分が基本になったニュクスのコスメティックシリーズ。このマークはフランスのファーマシーではおなじみの人気ブランドです。

SPA NUXE 32 Montorgueil スパ・ニュクス・32・モントルグイユ
32, rue Montorgueil 75001 Paris

■電　話　01 55 80 71 40
■営業時間　9:00〜19:30(月曜、火曜、土曜)、9:00〜21:00(水曜、木曜、金曜)、要予約
■定 休 日　日曜

ランコム

MAP C2

繭から発想したという新コンセプトのブースで、五感すべてに働きかけるエステティック体験。スペシャリストのマッサージ効果はもちろんのこと、リラクゼーションに配慮した室内の色、クリームの香り、さらには音楽療法も取り入れるなど、さまざまな角度から総合的に考えられたコースが揃っています。また、東京に十年以上暮らした経験がある美しい日本語を操るマダムが迎えてくれるというのも心強いところです。

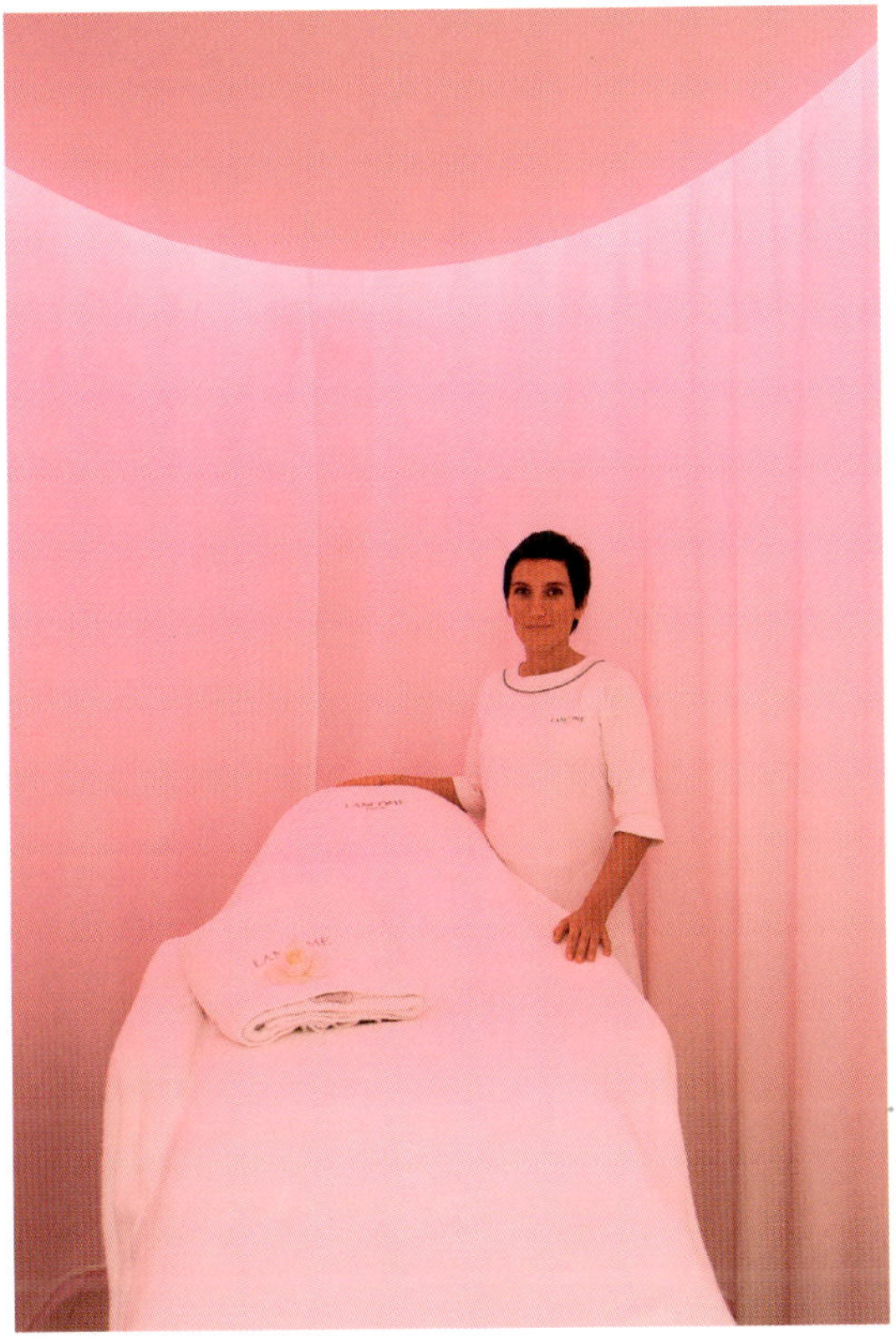

◀よりピュアな気分になれるように、器具を一切見せない工夫をした繭形の個室。光の色はコースの目的によって変わります。

◀ホスピタリティあふれるスタッフ。中央が日本語堪能な美貌のマダム、カトリーヌ藤原さん。

▼ランコムの最新情報を美しいプレゼンテーションで発信する、通りに面したウインドー。

LANCÔME ランコム
29, rue du Faubourg Saint-Honoré 75008 Paris

■電　　話　01 42 65 30 74
■営業時間　10:00〜19:00　エステは要予約
■定 休 日　日曜

パリの日常生活を知る

バスティーユ広場（マレ地区）

昔、「料理ベタの女を、いい女の範疇《はんちゅう》に入れない」と言った岸さんは、「料理はヘタでも、女は女よ」とフェミニストの友人から顰蹙《ひんしゅく》を買ったとか……。

料理好きの岸さんは、サン・ルイ島のアパルトマンから歩いて十分ほどのバスティーユ（革命）広場のマルシェ（朝市）で買い物をして、シァンピ家の家政婦兼料理人直伝のフランス家庭料理と、繊細な和食をアレンジした〝ケイコ流和魂洋才料理〟を作ります。

泥つき野菜が並び、肉の塊が吊り下げられた青空市場で、いつも変わらぬ笑顔を振りまき、市場でも人気者です。

日曜の朝、バスティーユのマルシェ（朝市）へ。この巨大なマスカット１房は、なんと3.5ユーロ（約500円）。この日は、他にも新鮮な朝摘み野菜などたくさん買いました。

パリっ子の食欲を満たす野外市場

娘が子供のころ「ママン、マロニエの葉っぱが錆《さ》びてきたわ」と、めっぽう詩的なことを言った。その錆びた枯れ葉の舞う秋のメランコリー。次に来る長い冬を暗示するような不機嫌な空、光の差さない昼下がり。

けれどその日は、冷風に吹き払われたように青空がきらめき、娘と連れ立って革命広場から延びる広大な野外市場へ行った。

車輪付き買い物籠は持ったが、別に必要な物はなく、このところ執拗に重なった難事に、曇りがちな気分を一掃したく、賑わう朝市の雑踏を歩いた。たった今海からあがったような生きのいい魚、土のついた野菜、威勢のいい売り子の口上、気がつくと買い物籠は山盛り、それでも足りず、両手がちぎれるほどの買い出し行進となり、ヨロヨロと歩行困難。キャフェテラスで小休止をとる。

四人がかりで食べるほどの大きなカニを二杯も買って、ふと顔を見合わせる。私は文化の日にルーブル美術館から発信する生放送の準備のため、このところ料理などする暇はない。「私はあさってから旅行」と娘。無計画性衝動買いは遺伝するらしい。

キャフェーを出て少し行くと顔にポツリと雨がかかる。空を仰ぐとさっきまでの青空は黒雲に覆われ、稲妻が走り壮絶な美しさである。と、見とれていてはいけないのだ。家はまだ遠い。重い荷物に足をとられ、ビニール袋が食い込んで痛い手をカニがはい上がって大きなハサミで引っかく。漫画である。

驟雨《しゅうう》から豪雨へ、さらにアラレまじりの大暴風雨になったとき、シュリー橋からセーヌ河へ吹き飛ばされそうになり、風圧にあらがいながら私と娘はゲラゲラ笑った。

「ママン、車輪が一つはずれた！」

買い物籠と娘が斜めによろけ、リンゴやチーズが転がり、豪快に濡れながら私たちは笑いが止まらなかった。

まだ生きている新鮮なオマール海老とカニを発見。それぞれ美味しいというメスを購入。

家へ着いたとたんに嵐は止《や》み、燦々《さんさん》とした太陽が笑っている。七割がたのストレスは嵐と共に去っていったようだ。

（私の人生 ア・ラ・カルト「晩秋の驟雨」）

パリの生活を肌で感じるには、マルシェ（朝市）に出かけるのがいちばんです。かつて卸業者があまった生鮮食品を町中でさばいたのが始まりで、市内には常設市場、大きなホールで開かれる市場、それに広場や大通りに立つ市場があり、その数約八十。木の台に旬の野菜、乳製品、肉類が山と積まれますが、秋の狩猟解禁時期には野鴨、野ウサギ、鹿、猪などのジビエがドンと丸のまま並び、まさにグルメ王国の台所といった感じです。

岸さんのお馴染みは、自宅のあるサン・ルイ島からシュリー橋を渡って、アンリ四世通りを歩いたバスティーユの野外市場。毎週木曜と日曜に市が立ちます。マルシェ手前のバスティーユ広場は、フランス革命の拠点として有名ですし、その近くには、かつての貴族の館が並ぶヴォージュ広場もあります。もともとこの一帯はマレ地区と呼ばれる、かつてはセーヌ河岸の沼沢地。十六世紀の半ばから、貴族の館が多く建っていたエリアです。パリきっての高級住宅地サン・ルイ島から、ブルボン王朝時代のサロン文化の名残が感じられる歴史散歩の街へも、活気あふれるマルシェへも歩いて行けるわけです。

マルシェは、場所によって扱う食品もさまざまです。例えば、パリ六区のラスパイユ通りの市場は毎週日曜日、一区画全体が自然食品で埋まります。そして十八区、モンマルトルの丘のふもとにあるバルベス市場は、北アフリカ・マグレブ地帯（チュニジア、モロッコ、アルジェリア、モーリタニア）のアラブ系の人たちで賑わいます。岸さんは、湾岸戦争勃発の一九九一年、テレビ番組のリポーターとして、まっさきにこの活気溢れるバルベス市場を取材し、日常生活を通して「アラブの大義」を問いかけました。

さて、たっぷりの食材を買い込んだ岸さんの得意とするのは、大勢で食卓を囲むおおらかなメニュー。これは、かつて客の多かったシァンピ家で料理を取り仕切っていたマダム・ラプロンシュの家庭料理にアレンジを加えたもの

本邦初公開。サン・ルイ島の自宅キッチンにて。「野菜やなんかを洗いながら、料理の手順や盛り付けを考えるひとときが好き」

ズッキーニや色とりどりのピーマン、トマト、玉葱、ナスなど、みずみずしい野菜の山！

で、シャントコックの別荘で大勢のゲストや居候《いそうろう》をもてなしてきたお馴染みの料理。「野うさぎのブッタ切り、からしあえの煮込み」や、「庭に咲いているタンポポの葉っぱに、豚の背あぶらをフライパンで炒って、ヴィネガーソースをかけ、ポッシュドした卵をポトンと落とした」といった愛情たっぷりの逸品でした。

付け合わせの野菜とともに、鶏一羽を豪快にオーブンへ。

出来上がった本日のメニュー。地鶏のグリルにラタトゥーユ、海老とカニのボイルなど。

マルシェ・バスティーユ

MAP F3

パリの人々の生活に欠かせないマルシェ、青空市。バスティーユのマルシェは、広場から放射状に広がる大通りのひとつリシャール・ルノワール大通りに、食料品を中心とした多彩なスタンドがひしめき合い、活況を呈しています。中央に緑地帯をのせたこの通りの地下には、じつは水が。セーヌから北へと延びるサン・マルタン運河の一部がこの通りなのです。

普段着のパリが見られるマルシェ。料理や買い物が必ずしも女性の専売特許ではないパリ。行き交う人のなかには男性の姿も少なくない。

▲色彩のパッチワークのように美しく並べられた八百屋のスタンドや、さすがはフランスと目を見張るバラエティにとんだチーズの計り売りスタンドは眺めるだけでも面白い。

▶大革命の発端となった歴史の地バスティーユ広場の中心には、遠方からでも望める塔がそびえています。頂には、切れた鎖と松明を手に飛び立とうとする自由を象徴する像が。

Marché Bastille マルシェ・バスティーユ
Boulevard Richard Renoir

リシャール・ルノワール大通りのバスティーユ広場寄り、日曜の7:00〜15:00、木曜の7:00〜14:30

ブルジョワ階級の屋敷町

エッフェル塔〜パッシイ地区

パリの西側、エッフェル塔からパッシイにかけては、
地元の人も憧れる上品な地区。
〝山の手〟十六区のメインストリート、パッシイ通りには、
高級ブランドのブティックはもちろん、生活用品が何でも揃う、
地元密着型のショッピングセンターまで並んでいます。
岸さんも、友人を訪ねてたびたび足を向けた馴染み深い地区。
一九八四年二月七日、このパッシイ通りで
イランから亡命中のオヴェイッシィ元将軍が暗殺されました。
予定どおり行動していたら、岸さんは現場に居合わせたはず。
裕福で平穏な、パリの高級住宅地で起こったテロ事件は、
岸さんが、ルポルタージュへの関心を、
さらに深めるきっかけとなったのです。

セーヌ河に架かる30あまりの橋のうち、西側から数えて4番目、高級住宅街16区と15区を結ぶのが「ビル・アケム橋」。上はメトロ、下は車道及び歩道の2層構造になっている。

エッフェル塔にちなんで

私がＮＨＫ衛星放送草分けの、初代キャスターになったのは、もう十八年も昔のこと。題して「ウィークエンド・パリ」（正しくは「ウィークエンド・ア・パリ」であります。マ、どうでもいいか、こんなこと）。世の中にこれほどの低視聴率を誇った（？）よき番組もまずはないはず。

なにしろ打ち上げられた衛星を使ってのはじめての試み。毎週土曜日、ただしパリ時間の午後ともなると、日本では草木も眠る丑三つ時。その上、当時は、ひとかかえもある巨大なパラボラ・アンテナを屋根の上にしつらえなければならず、そのしつらえ料がなんと三十五万円！　どんな酔狂な人がそんな大金を出すの？　と思ったら、地上電波の入りにくい山岳地帯や遠

パリの街を歩いていると、通りの先にエッフェル塔が突然現れることがある。風景に溶け込み、多彩な表情を見せる、まさにパリのシンボル。日没後、毎０分より10分間、塔全体を発光させるように点灯する。通常のライトアップとは異なるきらびやかなイルミネーションは、一見の価値あり。

隔の地に住む人々。そして稀には、「へーえ、岸恵子がキャスター？」とはじめは野次馬気分、転じて、「ふーん、なかなかやるじゃない」もどきの新しきファンにお生まれいただき、かなり評判をとった番組ではありました。その中の一つ、エッフェル塔生誕百年（一九八九年）記念番組では、面白いことを学びました。

まず、今でこそ凱旋門と並んで、パリの象徴であるこの鉄塔は、建立時、パリ市民、特に文化人、芸術家たちの間で大いに不興を買いました。

「顰蹙《ひんしゅく》ものだ！　このパリに、なんとおぞましく見苦しいものを！」

インテリを筆頭に、建設反対の署名運動が巻き起こり、その先鋒をきったのは、『女の一生』でおなじみのギイ・ド・モーパッサンでした。

ところがなんたること。二年がかりで完成したエッフェル塔は、一階にしゃれたレストランがあり、そこに毎日現れて食事をするのが、この塔を忌み嫌ったモーパッサンではありませんか！

作家は、何喰わぬ顔で恬淡《てんたん》と言ったそうです。

「なにしろ、パリ中どこへ行っても見えてしまう、この見苦しいお嬢さんを、見なくて済むのはここだけだからね」

さすがは大作家。嘘かまことか見事な答弁です。

一八八九年、フランス革命百周年を記念して、パリ万国博覧会が開かれ、そこで落成式が行われる予定だったこの塔は、はじめコンペティションによって、石造りを主張する建築家が選ばれました。ところが土台を作った時点で、石の重さが問題となり、急浮上してきたのが、当時、既に航空力学の天才としてその名を馳せていた、ギュスターヴ・エッフェルさんでした。

塔ばかりか、世界のあちこちに彼の作った見事な橋があります。その中の一つ、ハンガリーの首都ブダペストの長い長いチェーンブリッジは、息を呑む美しさです。

ダニューヴ（ドナウ）川にかかるこの橋は、夜になるとライトアップされ、その向こうにブダの丘の白亜の宮殿が幻のように浮かび上がります。

私の知る限り、世界の主都の中でもとびっきり華麗な眺めを呈するこの夜景を引き立たせている、エッフェルさんのチェーンブリッジは鉄の持つ強靭さと、レースのような模様から吹き抜ける風を計算に入れての大傑作です。

まるでエッフェル塔をダニューヴ川の上に寝かせたような景観です。

ブルターニュの漁船から、ギュスターヴ・エッフェル氏の末裔《まつえい》が住むというグラニット・ローズ海岸の花崗岩の間に建つ「お屋敷」を見た時は、ある種の感慨《かんがい》が湧き上がってきました。

エッフェル塔にちなんだ歴史的エピソードを二つお披露目します。

——その一、エッフェル塔と同い年生まれの、三人の巨人——

二十世紀をそのきらびやかな才能で飾った二人と、その二十世紀の一時期を恐怖で震撼せしめた、悪魔に魅入られた偏狂的独裁者、の三人です。

まず、四月十六日生まれのチャーリー・チャップリン。無声映画の時代をシルクハットとだぶだぶのズボン。ステッキ（滋賀県産）を振り廻してアヒルのように歩く放浪紳士の短編を自作自演で作り続け、喜劇王として時代の寵児《ちょうじ》となりました。

その後、長編でも数々の名作を生みましたが、一九三六年の「モダン・タイムズ」で、その政府や戦争への批判精神をうとまれ、第二次世界大戦前夜、当時、「反共産主義」「大恐慌を克服した英雄」として人気のあったアドルフ・ヒトラーに強く反発して、彼を嘲《あざけ》り、痛烈に批判した「独裁者」（一九四〇年）は、ニューヨークのナチス・ファン・クラブから突き上げられたのです。「独裁者」に観客が喝采を贈ったのは、時代的に後のこととなります。

その後も「黄金狂時代」「殺人狂時代」などの作品を生み続けた、この偉大な人は「ライムライト」（一九五二年）のプレミアで祖国イギリスに向かう途中、米政府から国外追放命令を受けました。以来二十年間チャップリンはアメリカの土を踏んでいません。

　また大の日本ファンで、昭和七年初来日の時、犬養毅《いぬかいつよし》との面会の予定がずれ、歌舞伎鑑賞に予定が変わったため、犬養暗殺の五・一五事件を危機一髪で遁《のが》れたのです。


　チャップリンが「独裁者」で胸のすくほどコケにした、アドルフ・ヒトラーもまた、チャップリンの四日後に、エッフェル塔の同い年としてオーストリアで生まれました。

　たしか自著『わが闘争』の中で彼は、こんなことを言っていました。

「二千年もの間、変遷と災厄の繰り返しにもめげず、常に、不死鳥の如くもとの姿で蘇る民族がユダヤ以外にいるだろうか」

　そのユダヤ人六百万人を、極悪非道な方法で虐殺したのもまた、ほかならぬアドルフ・ヒトラーでありました。


　前述二人のほぼ三ヵ月遅れで生まれたのがジャン・コクトオ。彼の「美女と野獣」（一九四六年）を観て女優となり、その後、コクトオにとっては最後の演出、私にとっては初舞台となった「影絵＝濡れ衣の妻」で、この類まれな多才の人は、私に沢山のものを与え、教えてもくれました。彼の映画は「美女と野獣」「オルフェ」のように白黒の画面ゆえに描けたはずの光と影。その微妙なざわめきの中に、あるとき突然、さまざまな色彩が動き出すのを感じる不思議。その中に移ろいゆく人の心や魂の在り処が浮き彫りにされてゆくのです。「影絵」という初舞台を踏んだ私に、詩人は影の雅《みやび》を教えてくれました。影の中にひそむ、魂の悲哀や、悪知恵や、笑いや涙。

　二十世紀に活躍したあらゆる芸術家たちと親交のあったコクトオは、しかし個人的には孤独の人であったようにも思います。

　彼の〝華やかな孤独ぶり〟に、人は眼を瞠り、羨み、陰口を利き、称賛しました。

　舞台稽古のとき、さっと描いて下さった、この悲劇の妻のデッサンは大事に持っているのに（166

ページ参照）、サインまでいただいた、あの時の処女戯曲「影絵＝濡れ衣の妻」を、度重なる引っ越しのせいか、あるいは世界の僻地旅行に携えて、どこかの国へ忘れてきてしまったのか、今、手元にないのが残念です。

大事な物を失うのは私にかぎらず、人間誰にもあること。物は消え失せても、その時のこころさえしっかりと胸に棲みついてくれていれば、それでいいのだと私は思っています。

――その二、マタハリ。――

美人で妖艶なダンサーであったマタハリの、それゆえに数奇な運命を知る人は、もうあまりいないでしょう。

人を惑わす姿態でパリやベルリンで大成功を収めたこの舞姫は、やがてヨーロッパの社交界に出没し、これに眼をつけたフランス情報部はドイツ情報部に潜伏させ、スパイに仕立てあげたのです。

その後、凡庸なスパイが陥る二重スパイに彼女も身をやつしてしまったのかどうか、真実は闇の中です。

とにかく、ロンドン、マドリッド、ベルリンを巻き込んでのある交信の暗号が解読され、「諜報《ちょうほう》員・H21号」なる暗号名が浮上します。これを受けたフランスはただちにあらゆるアンテナを張ってH21号なる人物捜しにやっきになります。

この運命の交信を傍受したのが、エッフェル塔だったのです。

フランスはH21号がマタ

幾何学的に組み合わされた細い鉄骨は、まるで華麗なレース細工のよう。その繊細な姿から「鉄の貴婦人」の異名も持つ「ラ・トゥール・エッフェル」。

ハリであることをつきとめ、こうして、世紀の女スパイ・マハタリは、ドイツのスパイとして一九一七年に、処刑されたのです。
映画にもなったマタハリ事件。真実はどうだったのでしょうか……。

La Tour Eiffel エッフェル塔

Champs de Mars 75007 Paris

■電　話　01 44 11 23 23
■見学時間　8月29日～6月10日は、9:30～23:00（頂上までのエレベーター最終便22:30、階段での昇りは～18:00）6月11日～8月28日は、9:00～0:00（頂上までの最終便23:00）
■料　金　エレベーター1階フロア4.10ユーロ、2階フロア7.50ユーロ、頂上10.70ユーロ、階段（1階、2階）3.80ユーロ

橋がもたらす出逢いと別れ

『ラストタンゴ・イン・パリ』という映画のプルミエがありました。面白かったわ。

映画も面白かったし、観ている人の反響も面白かった。この夜の招待客は、よく言う「Tout Paris」というそうそうたる知名人ばかりで、私たちのとなりに、ジェラール・ウリイ監督とミッシェル・モルガン夫妻、反対側の隣りは、フィガロ・リテレールの編集長で、ド・ゴール在世中は、テレヴィなどでよく彼のインタヴュアーをつとめたミッシェル・ドロワ夫妻、私の前に主役を演じたマリア・シュナイダー嬢がいました。（略）

いずれ日本でも公開されるでしょうが、いくつかのショッキングなセックス・シーンがあるの。

アパート探しにいって、偶然行き会った男と女が、荒涼とした空部屋の中で、急に、ガバッとセックスをするシーンがあるの。とても見事です。暑い日の真っ昼間、突然、滝のような豪雨に遭うみたいな鮮烈なセンシュアリテがあって、女なんてものは、どんなに気取った顔をしていても、あんな風に、突如とした衝撃にめくらむような憧れをもっているんじゃないのかナ。一瞬会場はシンとしたわ。その静けさの中で、前にいたマリア・シュナイダーが、「ヘッヘ」と、低く、ちいさく笑ったの。それは、照れての、「ヘッヘ」じゃなくて、自分とは無関係な見せ物に興じて思わず笑った、という「ヘッヘ」なの。そのシーンは、行為の行く末まで延々とつづいていたので、そうなると観客席はざわめき出す。自分がやってるんじゃないのに、一生懸命に照れちゃって、誰かが、ヒューウと、すこうし長すぎる口笛を吹きました。そのヒューウは、おどけたニュアンスにとんでいたので、満場から爆笑が起こりました。

そのあとも、ひじょうにきわどい個所がいろいろあって、後日、パリ中にいろいろなこばなしを生んだ、女のからだにバターを塗ってのナントカ・セックスのシーンがまたしても長々とあって、それは女優より男を演じているマーロン・ブ

ランドの方に、より勇気のいるアクションであったので、隣りのミッシェル・モルガンが、このしとやかなひとにしては珍しく、割りと大きな声で、「アーラまあ、ブランドちゃん、どうかしちゃったんじゃないの」と言い、そのブランドちゃん（Mon Petit Brando）が可笑しくてイヴがゲラゲラ笑い出しました。

（書簡集　パリ・東京井戸端会議「1972」より）

高級住宅地パッシイから左岸へ向かうビル・アケム橋。長さ二百五十メートルのこの橋は二層になっていて、下が車道および歩道。延々と続く高架下のアングルの面白さは、二本の映画で忘れられない印象を残しています。

一本は、岸さんが右記の書簡集で記しているように、「スキャンダルだ」、「醜悪だ」とブルジョワジーの間に物議を醸したベルナール・ベルトルッチ監督の「ラストタンゴ・イン・パリ」（一九七二年）です。マーロン・ブランドとマリア・シュナイダーが運命的に出逢ったのが、ビル・アケム橋でした。

この映画を岸さんは、「同年代の恋人にも、官能を満足させてくれるくたびれ果てた、しかし魅力的な中年男にも、愛着をもてない、つまり人間同士のアンコミュニカビリティの映画」と評します。

プルミエから十日ほど後、ある豪華な晩餐会でのこと。イヴ・シァンピ氏が向いに座った妙齢の女性に「バターをお取りしましょうか」と言って卓上のバター皿をスーッと滑らせると、その女性はニッコリ笑って「いいえ、私タンゴは踊りませんの」と言い返します。

これぞパリのエスプリ。岸さんは「清少納言がクリスチャン・ディオールの夜会服をきて、立ち現れたようだ」と感心しています。

そしてもう一本が、リュック・ベッソン製作・脚本の「タクシー2」（二〇〇〇年）。スピード狂のタクシー運転手が謎の軍団を追う話で、フランスの国民車プジョーとニッポン車三菱ランサーの迫力あるカーチェイスが、この高架下で撮影されました。

パッシイ方面からビル・アケム橋を渡ると、エッフェル塔の近くまでセーヌ河に沿ったしゃれた散歩コースになっていて、そぞろ歩きに最適です。

屋根裏やバルコンで、パリの絶景を楽しむ

　メーデーで開いているのは花屋と、酒屋とお菓子屋だけだった。私は花屋で、車につめるだけのあじさいの花を買った。紫色のあじさいである。お菓子とシャンペンを抱えきれないほど買い込んで、殺風景で貧相な、だけど、これこそ正真正銘、私の物である新居へ帰った。午後の陽が西に傾き、エッフェル塔から、アンヴァリッドまで見はるかせるバルコンの向うで夕焼け雲がうつくしかった。

　ほこりだらけの日本文学全集を積み重ねて即製テーブルを作り、「壽」と染め抜いた大きな風呂敷をかけた。それは、ゆくりなくも、私の結婚のひき出物を包んで、母が横浜の実家の近所の人に配った赤いちりめんの風呂敷であった。

　可笑しな風景である。白い壁に、木の香りも芳《かん》ばしい白い床、真っ赤に染められた夕焼け雲を背負って、私はパーンといきおいよくシャンペンを抜いた。

「今日から、ママンとデルフィーヌの、二人きりの生活がはじまります。お菓子とシャンペンで、私たちの門出を祝うのよ」

「わッ、ステキ！」二人の少女は拍手喝采した。大はしゃぎにはしゃいで、飲んだこともないシャンペンをチロッとなめて顔をしかめ、おおきな声でフレール・ジャックを歌い出した。日本文学全集には申し訳ないけど、これもコトのはずみ、私は床にころがっていたトンカチで全集テーブルを叩きながら、調子っぱずれのよさこい節をうたった。

（巴里の空はあかね雲「燃えおちる風景」より）

十八年間の結婚生活に終止符を打ち、デルフィーヌさんと二人きりの仮住まいに、リュ・ド・セーヴルの新築マンションを選んだ岸さん。パリに着いた日と同じ、すずらん祭りの五月一日にこだわって、未完成の工事中に慌ただしく引っ越したため、まだ電気もガスもひけていません。おなかをすかした二人の少女のために買い物に出た岸さん。

パリで岸さんが好きだという場所のひとつ。高級住宅地パッシィ地区から左岸へと向かう「ビル・アケム橋」。建設当初は「パッシイ橋」と呼ばれていたが、1942年に仏軍が独軍を破ったリビア砂漠の地名を取って1949年６月に改名された。

しかし街はメーデーで店も開いていませんでした。

　シャントコックの別荘の隣人で、デルフィーヌさんの友人のナタリーのパリのアパルトマンがすぐ近くにあることも、このアパルトマンを選んだ理由ですが、もう一つ、岸さんが気に入ったのがバルコンから見下ろすパリの街並み。もちろん、エッフェル塔も見えるのです。

　そのエッフェル塔の先、ビル・アケム橋とグルネル橋の間には、十九世紀の初めに造られた人工の島「白鳥の小径」があります。ここは全長一キロメートルの細長い散歩道で、街路樹や石畳、ベンチなどが整備され、犬の散歩やジョギング、愛を語らう恋人たちのスイートスポットです。グルネル橋側の先端には、フランス政府がアメリカ独立百年を記念して寄贈した自由の女神の縮小版が立っています。

パッシイの住宅街で白昼テロ

　苦いコーヒーを飲みながら、さて、パッシィ行きをどうしようと思っていると、ヒーターの利いたキャフェの中に、長ねぎの強臭がゆらゆらと立ちのぼってくる。私は、隣のテーブルで新聞を読み耽《ふけ》っているみめ美わしい青年に気を兼ねて、床に置いた紙袋をポンと蹴ってコートの裾に入れ込み、その上にニットのスカーフを被せた。やっと落ち着いて煙草に火をつけると、隣人は、友達らしい人に呼ばれて、読みさしの新聞を拡げたまま席を立っていった。少々拍子抜けがしなくもなく、何気なく残された新聞に目をおとした私は、愕然として自分の椅子から、隣の椅子へ体をずらせた。それでも足りずに立ち上って、斜め上から新聞を眺めてみた。

　みひらき両面の上半分を割いて、派手派手しく出ているオヴェイッシィ将軍暗殺の現場写真をみて、私は息を呑んでしまったのである。左頁に全景が載っていて、白いフォード車の蔭になってよく見えない将軍と、路上に長々とうつ伏せに倒れている二つの死体のところが黒枠で囲まれ、そこから黒い矢印が右頁へのび、そこには、かくりと首を垂れ、フォードに寄りかかって横坐りになっているオヴェイッシィが真正面から写されている。でも、これは前日ＴＶでみた情景と同じであるる。ちがうのは、キャメラの位置である。TVキャメラは地面を這うように、ほとんどアップか、フルサイズで横這いに事件を追っていたのだが、この現場写真は俯瞰《ふかん》でとっている。しかも、この新聞のキャメラマンは、よく私が立った、あのテラスの、ほぼ同じ位置から暗殺現場を見おろしたはずである。それは、今、まさに私が行こうとし、昨日行きそびれたピアニストのマンションのテラスなのである。（略）

「十六区の上流婦人たちの往き交うパッシィ通りを、今、三人の非常にエレガントな紳士がゆく。スマートな背広に、カットのいいマントオ、イタリア製の瀟洒《しょうしゃ》な靴。シャー政権崩壊以来、フランスに亡命中のオヴェイッシィ元将軍その人と、彼の弟ゴーラム・ホセイン・オヴェイッシィ、そして彼らの友人でもあり、ガードマンでもある三人目の人物は、そこで道幅を広げているパッシィ通り三十三番地にさしかかる。時刻は二時十分過ぎ。刺客は背後からやって来た。グレイメタリックのルノー16に乗って。二人の男が滑るように車を降り、前をゆく将軍とその弟にぴたりと寄りそい、首のつけ根に口径九ミリの弾丸を射ち込んだ。二つのターゲットに二人の刺客。通行人が、事の次第を呑み込むより早く、ルノー16は走り去っていた。あざやかなプロの早業である」

私は呆然とした。

時刻午後二時十分。パッシィ通り三十三番地。私が予定通りに行動していたら、その日、その時、その場所にいたはずである。奇数と偶数で通りの左右に別れているパリ市の番地方式で、知人の家は、事件現場の真向いの三十番地である。

（砂の界へ「土漠に揺れる黒衣の女たち」より）

一九八四年二月七日、首都テヘランで起こった三千人のデモ隊を惨殺したオヴェイッシィが、亡命先のパリで暗殺されたことを報じたフランス・ソワール紙の記事を読んで呆然とした岸さん。

パッシイ通り三十番地に住む知人とは、岸さんの義父（ピアニスト）の教え子であり、デルフィーヌさんのカトリック上の教母。パリの高級住宅街パッシイ地区にひっそりと暮らし、多くのピアニストを育てていました。

岸さんは、事件当日彼女を訪れる予定でしたが、出がけにかかってきた電話に思わぬ時間をとられ、訪問を取りやめました。事件の第一報をテレヴィで知ったものの、イランという国に特別の関心を持っていなかったので、ごく当然の報復と受け止めたのです。

そして翌日、再びパッシイ通りを訪れることにして、お土産の花を買うついでに寄ったキャフェでひと休み。隣の席の新聞で、見慣れた街角、見慣れたパーキング・メーターの写真を目にして、奇遇に驚いたわけです。

ものごとを自分の目で見て、感じたまま伝えるジャーナリズムへの強い関心を抱いていた岸さんを、聖戦の名を借りてイラクとの果てしない泥沼合戦を続けるイランへ、灼熱の砂漠を六千七百キロ流れるナイル遡行の旅へと駆り立てたのは、この暗殺テロがきっかけでした。

「白鳥の小径」にて。散策路の西側先端には、高さ９ｍの自由の女神像が、アメリカ大陸に向かって立っている。

ゾー

岸さんの著書のなかに登場するバレエ留学をしていた日本女性「はるみさん」。いったんは帰国した彼女が、久しぶりに訪れたパリで運命的な出会いをし、結婚してまたパリに暮らすようになりました。ご主人が営むレストランは、パリという町に暮らす普通の人々の日常を身近に感じるような心地よいお店です。

MAP B4

「パリで一番美味しい」とご自慢のカクテル「モヒート」を食前酒に、フレンチはもちろん、バスク料理あり、アルゼンチンステーキありのバラエティ豊かな食事が時間にかかわらず楽しむことができます。右はタパスの盛り合わせ（13ユーロ）、左はタラのムニエル（11.50ユーロ）。

◀立ち飲み客でにぎわうカウンターコーナーで、バーテンダーのファビオさんをはさんで、はるみさんとご主人のダニエルさん。

▼住宅地の一角にあるお店。レストラン以前の昔のお店の看板を残したレトロな外観に灯りがともれば、常連が続々と……。

ZOO ゾー
12, rue de l'Amiral Roussin 75015 Paris

■電　　話　01 42 73 66 66
■営業時間　12:00～翌2:00
■定 休 日　日曜

知識人を惹きつける街

サンジェルマン・デ・プレ
〜カルチェ・ラタン

セーヌ河の左岸、　サン・ミッシェル大通りを挟んで西側は
サルトル、　ド・ボーヴォワールなど実存主義者たちが
議論に明け暮れた文化的な街、　サンジェルマン・デ・プレ。
そしてサン・ミッシェル大通りの東側に位置するのが、
ソルボンヌ大学を中心に八百年の歴史ある学生街、　カルチェ・ラタン。
歴史を感じさせる石畳の道に、　有名ブランドのブティック、
アンティークショップや、　おしゃれなキャフェも、　気さくなビストロもある。
パリでもっとも自由、　カオスのようなこのエリアは、　岸さんも大好きな
地区です。　男も女も、　学生も老人も、　お金持ちも文無しも、
大いに弾んで酔って、　夜遅くまで賑わいます。

サンジェルマン・デ・プレ教会を中心とした一帯は、テレヴィ取材で岸さんがたびたびレンズを向けた、人も店も風景も活気あふれる街。

「アルニス」と私

規模はおおいにちがうけれど、「右岸のエルメス」と並んで、「左岸のアルニス」と言う人もいるほど、セーヴル・バビロンの大きな交差点をセーヌ河に向かって歩くと、小さく長細いスクエアーの角、セーヴル通り十四番地に、あるたしかな風格を持ってこの老舗はある。

私とこの店との関わり合いは、二つの意味合いがあって面白い。

まず、私の夫であったイヴ・シァンピは、市川崑監督と同じように、文房具の凝り性（41ページ参照）。大きな書き物机の上はすべてエルメス製。名前入りの手作り台本挟みも、純銀の縁取りのある机上メモ用紙も、ペーパーナイフも、なにもかも。それがどういうわけかスーツはアルニス製が多い人でありました。

この店は、ジャン・コクトオ、アーネスト・ヘミングウェイなどの文人や、前仏大統領のフランソワ・ミテランなどの著名人が好んでオーダーした、魅力的な紳士服専門店。ヘミングウェイが愛用したという黒いコーデュロイのジャケットは、今でも定番になっている。その他、クラシックなカシミアのスーツから、アヴァンギャルドな若者好みのしゃれた町着など、私は男のおしゃれに口を出すのがことのほか好きなのに、残念。見立ててあげる相手がいない。

仕事の関係かお世話になった人たちに、私好みのネクタイを贈るぐらいが関の山。不甲斐なきこと夥しい女なのであります。

但し、このアルニス、昔は、ごく僅かであっても女物をデザインしていたこともあり、私はオフ・ホワイトの分厚いカシミアのコートや、ワンピース、何ともいえない絶妙な色合いの長い長いカーディガンを、今も大事に使っている。

特に今もある男女兼用の、薄くて軽くて肌触りのすてきなインド産カシミアのロングストールは、全色買い揃えたい誘惑にかられて困るのであります。

これではまるで、私がアルニスの宣伝でもしているようで一寸問題かしら。

この店にこだわる二つ目の理由は、ひどく私的で大事なことなのであります。


時は一九七五年。私は或る事情（平たく言えば離婚からの派生的必然）でアパルトマン探しをしていたある朝、同じようにアパルトマンを探している、男のようにサバサバとした日本の女性と出逢った。相手も私を同じように感じたらしい。一度ならず、二度、三度。

パリでいいアパルトマンを探す、もっとも手っ取り早く確実な方法はただ一つ。フィガロ紙の早朝発売を待って、借家、売り家欄を超特急で読み、掘り出し物を嗅ぎ当てて、誰よりも早く駆けつけること。ところがどんなに素早く目当ての物件に駆けつけても、いい出物には既に人が並び手遅れとなる。

それもその筈、フィガロ紙は当日の朝刊を、シャンゼリゼ大通りのロン・ポアン（凱旋門とコンコルド広場の間にある有名な広場）と、サンジェルマン大通りの角のドラッグ・ストアに限って、その日の午前零時に配布するというのだ。それを知っている人たちは、深夜に買った新聞の賃貸欄を朝迄じっくりと検討してコトに臨む。

スワ、負けんものかや。と、私は愛車のオートビアンキを駆って夜な夜なロン・ポアン迄、日参、ならぬ夜参りをした。そこでまた出逢ったのが、件《くだん》の女性である。二人はどちらからともなく笑い合った。話し合った。そして、親友となった。絢《あや》子《こ》さんがその人の名だった。

このアパルトマン探しに、私はヘトヘトになる程のエネルギーを燃やした。私流の頑固で役にも立たない美学から、どうしても五月一日までに夫の家を出たかった。

十八年前のこの日、私は、日本を捨て、映画を捨て、両親を捨てて、この国にやって来た。「我が家」と思い込んでいたその家を私が出なければならないとしたら、五月一日、すずらん祭りの日しかない。

家賃がすばらしく高く、寝室が二つしかないちっちゃな仮住まいを契約したのが、滑り込みの四月も末日。それはアルニスから歩いてほんの二分、同じセーヴル通りの三十七番地だった。新築のビルで、まだ完成もしていなく、水は出たが、ガスも電気もないガランドウの真新しい空間。家具一つない全くの空間。私は娘と、その友達と娘の愛犬ユリスと共に、念願の五月一日その日に、その空間である、正真正銘の我が家へ乗り込んだ。雲ひとつない素晴らしい五月晴れのお昼頃だった。

十八年間棲み慣れた夫の家の前の路上で、夫は「ケイコ！」と言って声を詰まらせた。

娘を抱きしめた夫は、滂沱《ぼうだ》と涙を流していた。

「法律はどうでも、追い出したりはしない！　なぜこんなに早く……」

噴き出しそうな涙を堪えて、娘は宙空を睨んでいた。私は泣かなかった。

「アデュー、イヴ、エ、メルシイ……」

（長い間、我儘な私を大きく包んでくれて——）

と言いたかったが言葉にはならなかった。

かげろうに揺れた夫の姿が、バックミラーの中で遠のき、小さくなって消えたとき、十二歳の娘が、小さく「パパ」と言った。ように思った。

全き空間だった、安っぽくて、ペカペカ、ピカピカの我が新居は、それなりに「住まい」らしき様相をとりはじめ……、とは言え、まだベッドはなくマットレスだけ。大きな食卓に六脚の椅子。観葉植物だけが大幅に顔を利かせている狭いながらも明るい我が家に、私は絢子さんを招いた。

「友人を一人連れて行ってもいい？」

「もちろんよ」

やがて現れた二人は楽し気だった。

「ちっちゃいけどいいじゃないの！　南と北側にテラスまであって、七階だから眺めが最高だわ」

「セーヴル・バビロン地区が、パリで一番好きな場所になりそうよ。メトロの入り口もバス停も真ン前にあって、便利で賑やかで明るくて！」

実際、娘と私の新生活には、離婚という負の影はつゆほども差していなかった。このときから、

パリでは、日本ほど新聞配達は一般的ではありません。この日、岸さんは、馴染み深い老舗デパート「ル・ボン・マルシェ」前にあるキオスクで新聞を求めました。

毎年五月一日を、私は私の自由と独立の記念日にしている。

一九五七年のこの日、母国を出奔し、最愛の映画や両親、持てるすべてと決別した私にも、ある覚悟と共に、未知への挑戦、自由と独立への溢れる憧憬があったにちがいない。

今また、愛する夫との決別で得た、果てしない自由と孤独。この日が私の二度目の独立記念日になるわけだった。

フランスに着いたあの時、飛行機のタラップから降りる私に、夫になる人は、抱え切れないほどのすずらんの花束をくれた。今、毎年のすずらん祭り、いわば私の私だけの独立祭に、黙って、ほほえみだけを浮かべて、すずらんを手渡してくれるのは、私の大事な一人娘デルフィーヌなのである。遠隔の地にいる時は、すずらんのデッサンをファックスしてくれる。寡黙な彼女のやさしさに、私はあたたまる。

話を絢子さんに戻す。紹介してくれたお連れの人と親し気に話す彼女に、鈍な私は間抜けた質問をした。

「探してたアパルトマンは見つかった?」

絢子さんはアッハと笑った。

「アパルトマンはまだだけど、先にボーイフレンドを見つけちゃった」

「あ、あ、そーいうことか、あ、そーなのか」

絢子さんはカラリと言ったが、ボーイフレンド氏は照れ臭そうに、ほんの少し頬を染めた。

話し込んでみて、彼が歴史や政治や芸術一般にも驚くほど広い知識を持つ、教養人であることが分かった。

それが、当時「アルニス」前二代目社長の次男坊であり、今、さまざまなクリエイトをしている、現「アルニス」三代目社長のジャン・グランベール氏だったのである。

私の最初のエッセイ集『巴里の空はあかね雲』、「ショメル通りの我が家」に詳述したように、この時から三年後、セーヴル通り三十七番地から、私は公園を挟んで真向かいのショメル通り十四番地に引っ越した。

離婚後二度目の仮住まいとなったショメル通り14番地の前にて。岸さんがデルフィーヌさんと暮らした部屋は、眺望抜群、フランス式の５階にあった。

岸さんがパリで一番好きな界隈「セーヴル・バビロン」の交差点。便利で賑やかで暮らしやすい、思い出に満ちた場所。

絢子さんが、グランベール氏と結婚してこの通りと交差する目と鼻の先のバビロン通りに理想的な新居を構えたのは、二人の出逢いからかなりの月日が経っていたように思う。

「住まい」というもののたたずまいに、私同様こだわる絢子さんは、マンション選びに時間をかけ、その間私の家に同居していてくれたこともあった。日本の仕事でパリを空ける時などは、これから思春期に入ろうとする微妙な年齢のデルフィーヌを、しっかり見守っていてくれた恩人である。

「ぼくがアヤコに、プロポーズの花束を贈ったのはケイコの家だったんだね」と熱烈な恋愛時代を振り返って、よくジャンが笑う。

「アルニス」の社長夫人になってからも、絢子さんは一年前までは、自分なりの仕事を止めず、お互い助け合いながらの独立独歩。

フランス人からも日本人からも慕われている素晴らしい女性なのであります。

「アルニス」と私の浅からぬ縁は、こんな風にして、これからもずっと続いてゆくことでしょう。

ダンディズムを貫くブランド

メトロのセーヴル・バビロン駅を出ると、目の前に百貨店「ル・ボン・マルシェ」が目に入ります。この大きな交差点一帯は、岸さんがパリで一番愛着がある場所だといいます。

イヴ・モンタンやご主人のイヴ・シァンピ氏が愛用した店「アルニス」も、この交差点の近く、セーヴル通り十四番地にあります。パリでもっとも芸術的と評判のメンズブティックで、創業は一九三三年。一九七四年に改装して、現在の店舗になりました。

創業当時は、ピカソ、アンドレ・ジイドなど芸術家がサロンとして利用したことから「リュ・ドゥ・セレブの店」と口コミで評判になったとか。彼らは芸術論を交わしながら、必ずといっていいほど、自分たちの着たい服のことを話題にしたそうです。

そうした文化的土壌に育

「アルニス」上階のオーダーメイドサロンで。岸さんの後ろにいるのが社長のジャンさん、隣は姪のシルビーさん。そして「恵子さんは、忙しいのにいつも元気ね」と右の絢子さん。

まれたこの店のモットーは、「男のファッションは、いい素材、いい色、いい仕上がり」。生地を厳選し、熟練した職人が最低三回の仮縫いを行うなど、テーラーとしての誇りを持つ老舗です。ジャン・コクトオが愛用したツイードのスタンドカラージャケットは、今でも根強い人気の定番アイテムとなっています。

さらに一九五〇年代には、ケーリー・グラント、オーソン・ウェルズ、アーネスト・ヘミングウェイが訪れたことで、このメゾンはアメリカに知れ渡りました。ヘミングウェイは闘牛とフィッシングの合間にパリにやって来て、ハワイ産の派手な生地を持ち込み、オリジナルシャツをオーダーしています。

恋愛に長け人生の機微に通じた紳士たちは、ファッションにも敏感です。一見リラックスしたようでいて折り目正しいデザインを、小粋に着こなします。彼らが好む、斬新なスタイルと遊び心あふれる色合い、体のラインにゆったりと沿う流れるようなフォルムが、アルニスの特徴。

もし、パリの街角やレストランで、ひときわ目を引くジャケットを着たパリジャンを見かけたら、それはアルニスの顧客、かもしれません。

カルチェ・ラタンの女たち

狭いけど、ペカペカだけど、私の仮住まいは捨てたもんでもないということ。見晴らしよくて、陽当りよく、カルチェ・ラタンの真ン中で、年中ザワザワと人が往き交《ゆ》い、デモ隊が通り、ショー・ウインドウをぶち毀し、ヒッピーが歌うたい、長髪の日本男子が眼をキョロキョロとねり歩き、インテリ左翼みたいな人が、これまた、ギクリとするほど、ソフィスティケートされた有名モデルなどと腕を組んでそぞろ歩き……。つまり、大都会のさまざまな優しさや、辛さ、矛盾や、歓楽をゴタ混ぜにひめて、生き生きと動いている街なのであります。

そして、なによりも女の人たちがうつくしい。シャンゼリゼや、リュ・ド・フォーブール・サントノーレを、しゃなり、しゃなりと歩いている。十六区（山ノ手）の奥方や、各国金持ち観光客の面々より、ここ、カルチェ・ラタンの女たちは、美しいひとも、美しくないひとも、それぞれに、自分たちの顔をもっている。ウィットに富んだよく動く瞳。ちょっぴり意地の悪そうな口元の笑い。つる下がりの安物を着ていても、なに気ないベルトのしめ方や、ノンシャランと風に吹かれて、また首に巻きついて来るスカーフの流れが、いかにも生のパリを感じさせる。

（巴里の空はあかね雲「街の顔　女の顔」より）

十八年暮らしたオッシュ通りの家を出て、岸さんがデルフィーヌさんと暮らした二軒の仮住まいは、どちらもセーヴル・バビロン交差点の近くでした。一軒目は、最も古いデパート「ル・ボン・マルシェ」の向かい、うす茶色にスモークドされたガラス張りのバルコンが並ぶモダンな新築マンションの七階（日本流に数えると八階）。マンションの裾野は有名商店街、二階にはスナック、美容院もある便利で棲みやすい環境でしたが、「高級なんだか、チャチなんだか」と岸さんの美意識の規格にはまりがたいようでした。

自宅から歩いて十分足らず、メトロのサンジェルマン・デ・プレ駅のそばには、現存するフランス最古のロマネスク教会「サンジェルマン・デ・プレ教会」があります。周辺には十八世紀の古い館が残り、レンヌ通りやボナパルト通りなどブランドショップや食器、リネン、雑貨を扱うおしゃれなショッピング街もあります。

ボナパルト通りには、一九五〇年代に実存主義を提唱したジャン・ポール・サルトルが棲んでいました。サンジェルマン・デ・プレ教会の西側にある「キャフェ・ド・フロール」や「レ・ドゥ・マゴ」は、サルトルとド・ボーヴォワールを中心とした文化人たちの溜まり場として有名です。このサンジェルマンの老舗キャフェは、観光名所として現在も健在。地元のキャリアウーマンやビジネスマンで、連日賑わっています。

屋根裏から見るパリの空と街並み

ここは、離婚後二軒目の仮住まいであります。セーヴル通りのペカペカの、安マンションの七階

サンジェルマン・デ・プレ教会前の交差点。「レ・ドゥ・マゴ」や「フロール」、「リップ」といった老舗のキャフェやブラッスリーが集中する実存主義発祥の地区。

のバルコンのはずれから、夕焼け雲を眺める度に、遥《はる》か向うの公園越しの、ショメル通りのこのマンションが、その風貌《ふうぼう》の優美さで、いつも心にひっかかり、誰ぞ引っ越しせんものかと、ため息ついてあこがれて、ある夏の日の昼下がり、五階に当るマンションの、カーテンはずされ、人たちが、右往左往と動き出し、何やら重そうなテーブルやら家具たちを運搬しはじめたのでありました。

ああ、こんなとき、望遠鏡でもないものかと苛々《いらいら》したのは束の間のこと、パリに棲みなじんだ知恵の早さで、五百フラン（当時四万五千円）一枚つかみとり、靴にはきかえる暇もなく部屋履きのまま飛び出して、二百メートルほどの大マラソン。

息せき切って駆けつけて、管理人のおばさんに、とっておきの大笑顔。

「オーララー、マダム。このマンション引く手あまたで、とうてい今からじゃダメですよ。持ち主は、それはガメつい保険会社で、法外な家賃なのに、どこがいいのか、これをみて下さい。管理人の私が決めるわけでもないのに、この通り、一ト月に一度ぐらいの割合いで電話がかかり、どの階でもいいから空いたらすぐ報《し》らせてくれと、五、六人の顔なじみに頼まれているんですよ」

　マルセル・カルネの古い映画にでも出てきそうな、でっぷり太った人の好さそうな六十がらみのおばさんは、ノートの中のウエイティング・リストを肩をすくめて見せるのです。間髪入れずにこのワタクシ、恥ずかし気もなくサッソウと、折目のつかない五百フラン、さっとノートに挟みこみ、

「お願い。見せて下さいます？　五階の部屋、保険会社はこの足で、すぐ交渉に出かけます」

「オーラララー、マダム、オッホホ」と笑い出し、太った体をゆさぶって案内に立つその姿、「決めたッ」と心に思ったのは、そのおばさんの人の好さ、アール・ヌヴォー風のエレベーターの六角形のシックさに圧倒されてのことでした。（略）

　いつの日か、この気に入りのマンションを追ン出ることになろうとは……。女ひとりの外国暮し、家主と主婦、父親と母親、女優と女中のかけ持ちで一人に重い四役・五役。

「修羅場を踏んだ女よ」と、にっこり笑って居直っても、所詮はひ弱なにっぽんの、役にも立たない美意識を、あちらこちらにぶら下げた外面だけがたくましい、根なし草の風来坊。


（巴里の空はあかね雲「ショメル通りの我が家」より）

エネルギッシュなサブカルチャーの担い手たち

夜のサン・ジェルマン・デ・プレには、いろいろなハプニングが起ります。

自由と、知性と、芸術と、頽廃と、横着とユーモアが、ヒリヒリするような感覚で街の辻々にあふれているのです。

世界一の金持ちや、世界一の文無しや、そのどちらでもないパリっ子たちが、酔って笑ってサンザめくのです。

この夜私たちが、或る映画の撮影で、正面を郵便ポストのように赤く塗ったレストランの前にキャメラを据えると、待ってましたの人だかり。物

サンジェルマン大通りとサンペール通りの角に位置する「ソニア・リキエル」本店のショーウインドーにて。2005〜06年秋冬のコレクションを颯爽と着こなす岸さん。

見高くないパリっ子も、この界隈だけは別なのです。野次《やじ》って、ふざけて、喧嘩して、ことあるごとに賑わうのです。

はじめに私たちの眼を奪ったのは、ダボンダボンの洋服に、真っ赤なつけ鼻、白い眉、堂々たる体軀《たいく》のピエロさん。はでなパラソル肩にさし、そのパラソルの先々に細い裂き布ぶら下げて、「パリの市長のシラックさんよ、早いとこ根性据えこんで、必要なればジスカールの親玉サンと、チョウチョウハッシとやり合って、も少しましに、我我市民のこともお考えよ」という具合の政治マンガ的街頭エンゼツ。ピエロ氏はぜんぜん酔っていなかったし、おどけてはいても、カラリと明るく力強く、ピエロ独特のあわれっぽい佗《わ》びしさがなくて、見ていてこころよいのです。

かと思うと、急に横からとび出して、車止めたり、人払いしたり、もっぱら交通整理に打ち込んで「早くキャメラ廻せ、今がシオドキ、犬も鳴きやんだし車もＯＫッ」なんぞと怒鳴ってる。スタッフかと思ったら、通りすがりのサラリーマン。柴又《しばまた》の寅《とら》サンじゃあるまいし、なんと人情たっぷりなこと。

夜もかなり更けてきて、しゃんなり歩く美女さんは、上衣《うわぎ》か下衣《したぎ》がスケスケで、そのまた下衣のその下に、モモヒキばりのエナメルの金箔かがやくタイツはき、これまた流行《はやり》の針の靴。くんにゃり寄り添う背の君は、顎ひげ頬ひげボウボウの、インテリ左翼のおにいさん。


（巴里の空はあかね雲「夏の夜のサン・ジェルマン・デ・プレ」より）


このサンジェルマン・デ・プレが世界中のマスコミに注目されたのは、まずは二十世紀のはじめ、実在主義発祥の地であることとして。そして次に、ナンテール大学の学生による学内体制の改善を要求して蜂起した運動が、労働者をも巻き込んで、ド・ゴール政権を揺るがすほどの大騒動に発展した、一九六八年の五月革命のときでした。

オデオン座で行われる予定の、ジャン・ルイ・バロオの学生と労働者を支持する扇動演説を聞きに出かけた岸さんは、劇場到着前にカルチェ・ラタンで学生たちのスクラムに巻き込まれました。デモ隊と一緒にオデオン駅の入り口の階段に追い込まれ、機動隊が放った催涙弾を浴びました。

五月革命で抗議する群衆の中には、後に厚生大臣兼人道問題担当大臣のベルナール・クシュネール氏もいました。デモに参加するだけの行動に疑問を持った氏は、国際赤十字の医師としてビアフラに向かいました。そこで内戦の惨状を目の当たりにして、国際赤十字のルールに則って黙して手当てするだけではだめだと、「国境なき医師団」を結成します。氏の提唱する「干渉の義務」とは、少数民族の虐殺を防ぐために、被害者の訴えを聞いて合意のもとに介入しようという勇気ある行動です。

岸さんは、大臣時代のクシュネール氏にインタビューしています。

「若者は歴史の転換点に立ってみることだ。世界の焦点に向かって自分の能力を出し切ることだ。苦しんでいる人たちが暮らすところでボランティア活動をしてみることだ。びっくりするほど人生観が変わると思う」と、氏の発言は明快。このあたりの詳細は、小説『風が見ていた』、「一九六八年」の章に岸さんが、いきいきと書かれています。

この、クシュネール氏の思想を体現している女性が、ミテラン元大統領夫人のダニエルさんです。「隣家で虐待が行われていたり、人が殺されそうになっていても、自分のことではないと見て見ぬふりができますか。私だったら窓を蹴破ってでも助けに行きます」とテレヴィで呼びかける、彼女の姿に感動した岸さん。それ以来岸さんも、「キャメラを持ち込んで世界中の人に知らしめることが、民衆を助けることにつながる」という信念のもと、「干渉の義務」に沿う行動を続けています。

フランスのエリートを育てる街

「あの女、メトロのにおいがする」

ウロンとした三白眼を宙に据えて、白い街、アルジェのカスバの中で、パリへの望郷やるかたなく、いなせなうめき声を立てたのは、若い頃のジャン・ギャバン。

「ペペル・モコ（望郷）」というフランス映画でした。この映画はもしかしたら私の生まれる前に作られたものかも知れない（そんなことは、ありませ

一軒目の仮住まい、セーヴル通りの新築マンションの向かいにある、世界でいちばん古い百貨店「ル・ボン・マルシェ」。創業は1852年。流行を上手く取り入れながら、広々とレトロな内装が岸さん好みの店。映画をテーマにした展示など、アイデアも豊富。

んでしょう）。ザカザカと雨の降る再上映の古いプリントで観て、「ハハァン。パリの女って、みんな地下鉄のにおいがするものなのかな」とか、おさなごころにパリのメトロに絶大な好奇心をおぼえました。（略）

その私がパリの地下鉄に六ヵ月間乗り続けたのは、カスバでうめいたジャン・ギャバンのメトロの女の印象がよほど強烈だったのと、フランス語を習うために、毎日、アリアンス・フランセーズという語学の学校と、ソルボンヌ大学へ通ったためでした。（略）

夫になった異人サンとコトバが通じないようでは、なんとも甲斐性のない女に思われて、一日八時間の猛勉強をはじめたのです。午前中はアリアンス・フランセーズ学校、午後はソルボンヌ大学、夕方二時間、個人教授。こんな風に言うといかにも努力、努力と厭らしい感じですが、これは切羽つまった人間が自分に対してだけとり得る誠意みたいなものだと思います。

（私の人生ア・ラ・カルト「かなり勝手な花嫁ゴリョウ」より）

結婚後岸さんは、アリアンス・フランセーズやソルボンヌ大学へメトロ通学していました。帰路、凱旋門駅で地上に出ると、エトワール広場の出入り口においしいと評判の焼き栗の屋台がありました。おいしい理由は、焼きたてを三角に巻いた新聞紙に入れる栗に、ジャン・ギャバンが懐かしがった、パリ特有のメトロの匂いがしみていたからかもしれません。

帰宅すると、お手伝いさんを相手にフランス語の復習。ところがこのお手伝いさんが、日本語でいうと江戸前のべランメエ調。そうとは知らず真似をして、パリの著名人が集まる晩餐会で、いきなり「じゃあまたあ、うまくやンなよ」風のご挨拶。集まった人々は、びっくりする人、爆笑する人。ご主人、たまったものではありません。

そのうえストレスが溜まると、「リコンするゾッ。日本語はなせッ。あたしね、Rという字キライなの。一日何百回となく発音するンだもの。ニッポン人の体質にあのうるる……って発音合《ヤッ》わないのよ」と夜中にご主人に八つ当たり。それでも翌日はまた、メトロへ舞い戻って、ソルボンヌ大学へ通学。かなり勝手な花嫁ゴリョウぶりを発揮していたようです。

夕暮れのカルチェ・ラタンのひとコマ。スフロー通りからパンテオンを見上げる。

このソルボンヌは、十三世紀、神学を志す貧しい学生のために創設された学寮が始まり。以来、西欧の知の拠点として、多くの哲学者、文学者を輩出しています。現在パリ大学は十三の総合大学に分かれ、ソルボンヌの名を残すのは、パリ第三大学と第四大学の二つのみです。

ソルボンヌを中心に発展したこの一帯は、フランス革命までさまざまな国の留学生がいたため、ラテン語が話されていたことから「カルチェ・ラタン（ラテン地区）」と呼ばれるようになったのですが、今でも国際色華やかな学生街であることに変わりません。

岸さんがパリで知り合ったソルボンヌの学生も個性的な国際人でした。一人はモーリシャスからやってきた二十五歳の青年で、ソルボンヌ大学で社会心理学を専攻。もう一人は、サン・ルイ島の自宅のお隣に越してきた日本人のムシュー・キシ。彼は、ソルボンヌの大学院宗教研修室で仏教学を学ぶ、曹洞宗の僧侶でした。現在、岸世一さんは、梅竜山東竹院のご住職。今でも親しいお付き合いをされているそうです。

円

MAP D3

ヨーロッパで唯一、本格的なおそばが食べられるレストランがサンジェルマン・デ・プレの中心に。日本から直送したそばの実を石臼で自家製粉するというこだわりの手打ちそばの味は、すっきりと洗練された店内の雰囲気ともあいまって、目も舌も肥えたパリジャンたちの間で話題になっています。

上品な盛り付けで供されるおそば。天せいろ18.50ユーロ、玉子焼き10ユーロ、抹茶のロールケーキ7.50ユーロ。

◀建物の歴史をいかしつつ、シンプルでシックに調えられた店内。エグゼクティブな顧客も多い。

▼作家のマルグリット・デュラスも暮らした通りにある、むしろ控えめなくらいの外観。「円」の墨文字が目印。

YEN 円
22, rue Saint-Benoît 75006 Paris

■電　　話　01 45 44 11 18
■営業時間　12:00～14:00、19:30～22:30
■定 休 日　日曜の昼

アルニス

MAP C3

昔から貴族や政財界の要人、文化人を顧客にもつ高級紳士服メゾン。動物の世界でもヨーロッパの服飾の歴史からいっても、男性のほうがむしろカラフルであっていいという粋なコンセプトがクリエイションに反映されています。現当主、ジャン・グランベール氏夫人の絢子さんと岸さんとが親友という間柄。

ウインドーディスプレイに足をとめる紳士淑女が多い。

ARNYS アルニス
14, rue de Sèvres 75007 Paris

■電　話　01 45 48 76 99
■営業時間　10:00〜19:00（月曜は13:00〜14:00 一時閉店）
■定休日　日曜

「ケイコが贈り物を選ぶときには、その人の服の好みとか職業とかをとても細かく説明してくれる。それは相手に対する敬意の表れと感じますね」と、社長のジャンさん。

ソニア・リキエル

MAP D3

一九六八年、サンジェルマン・デ・プレ界隈に最初のブティックをオープンさせるやいなや、「ニットの女王」と称されたマダム、ソニア・リキエル。彼女の自由な発想から生まれるデザインは、過去にも流行にも縛られず、むしろみずからの意思で未来を切り開いてゆく現代女性の生き方とともに歴史を重ねてきました。岸さんはメゾン創設当初からの支持者です。

◀最新コレクションを試着する岸さん。アンサンブルという考え方をあえてしないメゾンなので、コーディネートがセンスの見せどころ。

▼常に新しい境地を見出してゆくブランドらしく、思い切ったスポーツラインも。

SONIA RYKIEL ソニア・リキエル
175, Boulevard Saint-Germain 75006 Paris
■電　　話　01 49 54 60 60
■営業時間　10:30〜19:00
■定 休 日　日曜

ル・ボン・マルシェ
ラ・グランド・エピスリー

MAP C3

左岸のエスプリを感じさせるような洗練された高級デパート。ゆったりとした店内には、お連れの女性が心ゆくまで品定めをしているあいだ、殿方が新聞など読みながらくつろいで待っていられるようなしゃれたソファが随所にあったりします。別館の食品館は選びぬかれた食材の宝庫です。

化粧品やアクセサリー、ブランドショップ、さらに紳士部門も充実している本館のグランドフロア。

◀食品館はちょっとしたお土産選びに最適。各地の名産やワインが豊富です。左ページに紹介した商品はほんの一例。

▼岸さん御用達の手芸コーナーにはしゃれたボタンがずらり。

Le Bon Marché ル・ボン・マルシェ
24, rue de Sèvres 75007 Paris

■電　　話　01 44 39 80 00
■営業時間　9:30～19:00(土曜は～20:00、木曜は10:00～21:00)
■定 休 日　日曜

La Grande Épicerie ラ・グランド・エピスリー(食品館)
38, rue de Sèvres 75007 Paris

■電　　話　01 44 39 81 00
■営業時間　8:30～21:00
■定 休 日　日曜

ひと口サイズのサブレ。一箱1.58ユーロ。

ピューレの素。右1.25ユーロ、左1.01ユーロ。

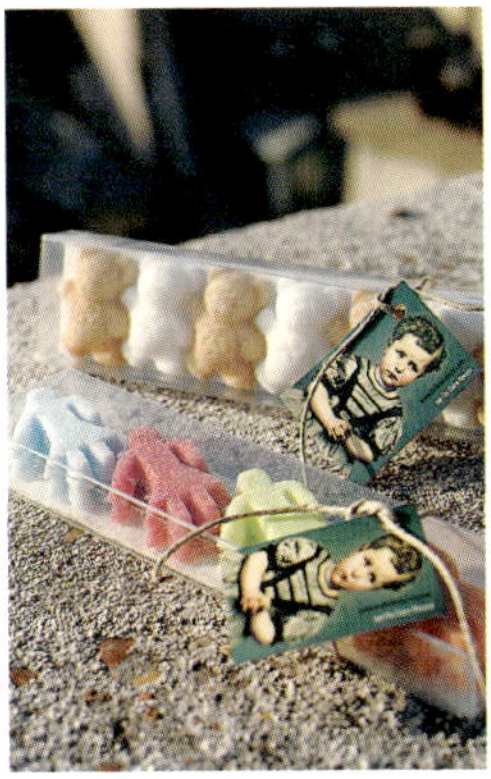
クマや人の形をした可愛らしいお砂糖セット。

ハーブ入りの塩。各1.87ユーロ。

フランス土産の定番フォアグラ。

カラフルなシロップセット。12ユーロ。

キャラメルコーティングナッツ。2.50ユーロ。

可愛いパッケージのマスタード。4.84ユーロ。

サン・ルイ島とシテ島

セーヌの中洲に浮かぶパリ発祥の地

「パリ発祥の地」である、セーヌ河の中洲にできた二つの島、
シテ島とサン・ルイ島。
日夜観光客で賑わうシテ島とは打って変わり、
サン・ルイ島は、十七〜十八世紀の貴族の館が残る閑静な高級住宅地。
現在の岸さんの住まいも築三百七十年、一部文化財指定の建物です。
このあたりの住民は、自分たちのことを誇りをもって
ルイジァン（サン・ルイ島人）と呼びます。
東京とパリを行き来する岸さんには、
古くて手のかかる建物に悩まされながらも、橋の上に広がる大空の下、
ゆったりと流れるセーヌ河に心が憩う、ここがパリの拠点なのです。

サン・ルイ島には17〜18世紀に建てられた貴族や高官の館が残り、ここに住むことがパリ市民のステイタスになっている。

私の散歩道

東海の孤島日本から、パリ発祥の地と謳われる、
セーヌ中州のちっちゃな孤島、
サン・ルイ島へ移り住んだ因縁は、
そのまま、私という、女、一生の物語り。
楽あり苦あり恋もあり、
とどのつまりは、四十二歳、女盛りのみぎりから、
今日までの道のりを独りで歩いて三十年。
少しばかり、割りに合わないとは思うけど、
孤独という道づれは、
なじんでみれば、ファンタスティック！
私は少しばかり狡く賢く、要領よく、
この道づれを抱き込んで、
かなり気儘なひとり旅。
その旅姿を、映す水面はセーヌ河。
橋を渡って向う岸。
水辺の広い遊歩道を、ぶらりと今日も一人で歩く。
橋の下の日陰の中で、一人の男が吹いている。

サキソフォンを吹いている。
切なくて、力強い黒人霊歌みたいな調べ。
「どちらから？」と訊いてみる。
「ニューヨーク」と笑って応えた黒人は、
そのまゝ切ない調べに立ち戻る。
その調べは、すぐそこの
ノートルダム寺院まで流れ流れて消えてゆく。
眼の前を、手をつないで行く、共白髪の二人連れ。
犬の散歩にかこつけて、自らのひとりぼっちを、
たゞ、てんたんと歩く人。
肩を寄せ合い、もつれ合う、恋の二人の長い影。
グループで気焔《きえん》をあげる若者たちの
胸のすくような賑やかさ。
セーヌを走る遊覧船や繋留《けいりゆう》している小船たち。
シーズン中は、
キャフェテラスあり、レストランあり、
食事のあとのひとときは、
揺れる階段よろめいて、船底舞台を覗き見る。
それにも飽きて、目の前の、
ノートルダムに行ってみる。

観光客にスリが忍んで大賑わいの大混乱。
人間臭い人混みを掻きわけて、
私はわが住むサン・ルイ島に舞い戻る。
やっぱりここがいちばん好きな散歩道。
かつての友、ホームレスのおじさんの
安酒のにおいにむせび、
面白可笑しい政治談義に花が咲いた、
ペンキのはげたあおいベンチ。
何の並木か木洩れ陽が、チカチカ光る散歩道。
春夏秋冬が幾つか過ぎて、
おじさんは、もうここのベンチに戻っては来ない。
ある年の大晦日。酷寒の夜を、施設で過ごせと
あたたかく、差し伸べられた手にすがり、
ホームレス氏たちが従うなか、
笑って拒んで一人が言った。
「三十年来、冬は、ここがおいらのねぐらなんで
……。でも、ありがとよ」
メトロから吹き出る生温かい人いきれが
つららになった元旦の朝、路上換気穴の
網に縮こまって、そのホームレスは、凍死した。

それは、あのおじさんにちがいない、と、
私の直感が切なく覚《さと》る。
おじさんが毎日眺めたアラブ研究所の窓は
午後の陽ざしに、サン・ルイ島を映し出し、
その姿をまたセーヌが映す。
ゆったりと流れるセーヌ河。
川面に映る空の色。
雲の流れや、風の音。
悲喜こもごもの世の姿。
私の好きな黄金色のシャンペン、
クリスタル・ロードレルを届けてくれた、
かつての夫が、
「君が旅から帰ったら一緒に飲もう」と
このセーヌ河畔で笑って言った。
私が旅から帰ったとき、
彼はもう、この世にはいなかった。
この道を、独りで歩いて二十三年。
これからも歩くのだろう、名も知らない
並木が美しいセーヌ河畔のこの散歩道……。

「この並木道が一番好きな散歩道」。セーヌ河を見下ろすサン・ルイ島のベンチ。ここで岸さんは、誇り高きホームレス氏と語り合った。

ホームレス氏の指定席

おじさんはホームレスである。

おじさんといっても見かけよりはずっと若いにちがいない。私が住むサン・ルイ島には四人のホームレスがいて、彼らを私はサン・ルイ島の四天王と呼んでいる。それぞれに個性があって四人が仲良く群れているところは見たことがない。

他の三人は場合によっては物乞いもする。ホームレスなどと今風に体裁を張った呼び方より、今ではたぶん人権上の問題で使われなくなった〝Clochard《クロッシャー》〟つまりルンペンといったほうがぴったりとする風情だし、彼ら自身が〝おれたちクロッシャー〟と胸を張って昔の呼び名にこだわっている。

そのうえ私の知ってるおじさんは物識りで人情家で、群を抜いて個性的である。

「俺はこの島に三十年も住んでるれっきとしたルイジァン（サン・ルイ島人）さ」

と言って胸を張る。

彼との出会いは、セーヌ河畔のベンチ。

ベチュルヌ河岸は、散歩道をふちどる並木が見事である。そこにセーヌに向けて五十メートル置きぐらいにみどり色に塗った背もたれつきのベンチがある。

わが家を出て小さな島の古い横道を一分も歩かないうちにそのベンチの一つに行きつく。

その日、そのベンチには先客がいた。若いカップルはこれが今生《こんじょう》の別れ、とでも言いたげにぴったりと寄り添い、涙まじりの繰り言を、二人が同時にしゃべっていた。

私は二番目のベンチに腰をおろし、大樹の差しのべる枝の茂みがほどよい日陰を作っている中で本を読んでいた。視線のはずれにずんぐりとした人影が右へ左へよろけながら近づいてくるのが入ってくる。

近づいて、私の眼の前に止まった影は揺れながら強烈な息を吹きつけてくる。

「ボンジュール、マダム。悪いけどサ、あんた隣

に引っ越してくンないかい。ここは三十年前から俺ンチなんでネ」

　ここで彼は胸を張ったのである。

「こう見えてもれっきとしたルイジァン、この島の住人なのさ。クロッシャー・ド・サン・ルイってわけよ」

　まるで「俺はシラノ・ド・ベルジュラックよ」といったような風格である。

　しげしげと見上げた顔は、よくすれちがうホームレス氏。

　まだ五十そこそこなのだろうに、凄まじいいきおいで年を取ってきたにちがいない、年齢不詳の傷めいた皺が顔中を覆い、皺の底までブドー酒焼けで赤銅色である。

「俺さまンチに断わりもなく坐りこんで、本を読んでるたぁ何事だ！」

　と言わんばかりに仁王立ちで揺れている。

「だって、お隣さん、両方とも二人連れよ。邪魔しちゃ悪いじゃない」

　ブドー酒片手にご酩酊のおじさんは、よろけながら左右両隣りのベンチを打ち眺め、あッは、と笑った。

「しょうがないな、じゃ、こっちも二人連れといくか。マ、狭いわが家へようこそ」

　半分ほど飲んであるブドー酒の瓶を鼻先へ突きつけられ思わず顔を顰《しか》めた。

　私はかなりの勇者ではあるけれど、ホームレスのおじさんが垢で真っ黒に光った手で差し出す、口飲みをしたにちがいないブドー酒のラッパ飲みには少しひるむ。

「ヘッ、上品さんは不便だね」

　おじさんは使用ずみであろうくちゃくちゃの紙コップをポケットから出

セーヌ河下りの船が頻繁に行き交う、シテ島とサン・ルイ島が見渡せる左岸側の河畔にて。

す。

こうなったら飲まざあなるまい。ブドー酒というより柘榴色《ざくろいろ》の酢のような奇っ怪な飲料水に私の胃がキュンと縮む。

（30年の物語「ホームレスと大統領」より）

パリの中のニッポン

サン・ルイ島の我が家の中庭には、八重桜の大木が枝をひろげている。

今年は、寒さがいつまでたっても立ち去らず、朝、ぼたん雪が降ったかと思うと、踊るような午後の陽ざしの中で、八重桜は色の濃い花びらを開いている。

その八重桜の葉陰をさけて、石畳の陽だまりに、どっかりとあぐらをかき、三味線をかかえ込み、小粋なばちさば

ご近所での買い物から戻った岸さん。サン・ルイ島のアパルトマン。この日は、階段部分が工事中。ガラス戸には「ペンキ塗りたて注意！」の張り紙がありました。

きをみせているのは、どうみても外国人。いや、ちがうかな。も少し身を乗り出して眺めれば、日本人にみえなくもない……。

「ゴンちゃーん、ちょっときてェ」

ゴンちゃんは、私の友人の友人で、手術後の私に、食事を作ってくれるために、十日ばかり前から我が家に出向いてくれている。

「なんですかあ」お台所から手を拭きながらやって来たゴンちゃんは、けげんな顔で私をみる。

「聴こえない？」

「アラ、三味線だ。レコードかしら」

「ちがう。ときどきトチるのよ。中庭でヒッピーみたいな人が弾いてるの」

「えッ」

ゴンちゃんも私のように窓から身を乗り出した。

「あれェ、外人みたい。ヘンですねえ」

へんなわけである。その人は越後獅子《えちごじし》からはじまって、今や新内《しんない》ふうの切々たる名調子、かと思うと、月のォー砂漠のォーペンペン、なんやら狐に化かされている感じ。

（巴里の空はあかね雲「セーヌ河のでらしね悲歌」より）

ビアンでシックな我が家の大騒動

二度目の仮住まい、ショメル通りのマンションで私が盗まれたシャンピ家の宝石や、思い出のこもる品々は、その後専門家の鑑定で、かなり莫大なものと分り、その品々への哀惜より、証拠がないことや、煩わしさを避けるため、犯人追跡を放棄した、私じしんの腰の弱さに愛想がつきて、私はショメルをも放棄した。離婚後三度目の引っ越しである。引っ越しついでに仮住まいにも別れを告げ、サン・ルイ島にアパルトマンを買ってしまった。愚行である。

「えッ、サン・ルイ島！　ウーンさすがは岸恵子サンねえ」と日本人の友人はウナって下さる。

「オーララー・ク・セ・ビアン、ク・セ・シック！」とフランス人の友人はホメタタえて下さる。なにがウーンでさすがなんだか、どこがビアンでシックなんだかご当人の私にはさっぱり見当がつかない。

パリ発祥の地とかいわれる、このちいさなちいさな、セーヌ河に囲まれた中洲状の島は、昔から伝統あるパリの最高級地とされていて、特にポンピドウ大統領や、ギリシャの亡命歌手ムスタキーさん、ミッシェル・モルガンさんなどの有名人が住むに至っては、そこは世界共通のあさはかさで、家屋のネダンは法外につり上がり、モロモロ、シカジカのゆきがかり上、しかたがなかったとはいえ身上かたむけてそんなところに居を構えるのもまことにあさはかなこと。

その上、ビアンでシックなわがアパルトマンは、古く輝やけき伝統にのっとって、表門の上の壁は、路上に向かって、おもむろに傾き、

「突っかえ棒しなくてもいいのかしらン」

と私は一人で取越し苦労。（略）

そんな、こんなで、三年間棲みなじんだなつかしのショメル通りをいさぎよく去ったはいいけれど、ビアンでシックなわが新居は、内装工事が三分の一も出来上がっていず、家具や、ダンボールにつめた洋服類は、半分は工事中のサロンで壁土や砂ぼこりを被って積み上げられ、半分はまだトラックの中に放置され、ベッドも置けない有様で、友人の家に居候《いそうろう》をきめ込んでからもう三週間にもなるというのに、私の七面倒くさい注文で、家の内部の階段などはまだ形を成さず、壁をブチ壊してみたり、又つけてみたり、もともとインテリアデザイナーに商売替えした方がいいんじゃないかと思われる、わが隠れたる大才能をここぞとばかり発揮するので、仕事師たちは目を白黒。


（巴里の空はあかね雲「壁の向うの棲み家」より）

煙、水漏れ、タイルのひび割れ……未だに続くさまざまなトラブル

サン・ルイ島に越したときから、三百五十年近く経つ、一部が文化財指定になっているやっかい極まりない私のアパルトマンには、さまざまな怪事が起こり、その手はじめは床と壁の間や、コン

セントの穴からもくもくと雲が湧くように部屋中にたちこめてくる煙であった。大昔のゴロワ人（現フランス人）が言ったように、天が頭の上に落っこちて来たような驚愕《きょうがく》だった。

それが階下の、そのときはまだ見知らぬ、すこぶる気の強い貴婦人と噂のあるN夫人家のだんろからの到来物であることはすぐわかった。

これがパリの同い年夫人との、つき合いのはじまりである。と言っても彼女と実際にまみえたのは、二年も先のことである。

引っ越して来たばかりの新参者として、礼を尽くし、電話で控え目にではあるが煙地獄の実情を訴えると、アメリカで大きな事業をやっているという夫人からはまことにビジネスライクな応えが返ってきた。

「だんろというのは焚《た》くためにあるので、その結果なんらかの支障が起きた場合、この建物全体の住人が責任をとり、不都合を取り除く義務を荷《にな》う、というのがこの国の法律です」

こちらは燻製《くんせい》になりかけているのに法律を持ち出されて途方に暮れた。管理人に相談すると、サンディック（管理事務所）へ訴えろという。そのサンディックはのらりくらり。

十七世紀という果てしなく遠い昔から、三百五十年間、焚きつづけられているだんろの煙突は壁の中で亀裂を起こしても不思議ではない。その亀裂が不幸にして、私が貧弱なるわが財産のすべてを傾け、長年にわたるローンを組んで買い求めたアパルトマンの床の周辺で発生してしまったとしても不思議ではない。いちばんの不思議は、三百五十年もの間、朝から晩まで冬の間焚きつづけられる業火を耐えに耐えてきた壁に埋められた煙突が、ついに耐え切れず堰《せき》を切ったように、幾筋もあるにちがいない亀裂から、外気の中へ黒煙を吐き出したのが、私が精根こめた内装工事を終了してほっとひと息ついた、まさにその時ということなのだ。

ああ煙よ、煙突よ。なぜ工事をはじめる前に自己主張をしてくれなかったのか。

それより、もっと前、買おうか買うまいか、私が迷いに迷って二度目の下見をしたあの時だったら、ノーと言ってあっさりあきらめたはずなのに……。

（30年の物語「女のはったり」より）

サン・ルイ島内の日常

島の真ん中に一本だけあるサン・ルイ島通りを、東から西に向かって真っ直ぐに歩くと、ちいさな広場に出る。

レストランやビュストロやキャフェに囲まれた広場はいつも賑わい、西のはずれに、河向うのパリ左岸へと結ぶちいさなサン・ルイ橋がある。

橋は車の乗入れ禁止、歩行者専用である。土日祭日は人種の坩堝《るつぼ》、奇抜な技で大道芸人たちが観光客を集める。短い橋なのですぐに黒山の人となり、通り抜けるのがむずかしい。

週日の放課後や、長い夏のヴァカンスには、小・中学生たちが近所のスーパーや八百屋でもらってきた木箱をななめに積み上げ、そこに細い板を載せて逆滑り台状の遊び道具を組み立てる。

それを目がけて橋の向うからスケートボードを勢いよく漕いできて、いっきに板を登りつめて宙に跳び、空中で体をコマのように廻したり、熟練者は見事な宙返りをしてきれいに着地する。

ほとんどプロに近い大道芸や、大技小技を取り入れての眼を奪うパフォーマンスのメッカは、ここからほど遠くないLes Halles《レ・アル》（元中央市場）の大広場なのだが、ここは、その小規模版として、普通の子供たちの自由で大胆な遊び方が呼び物となり、よくテレヴィ・キャメラが入る。

ある日、私もその中の一人だった。

ひらりと空を飛ぶ十二、三歳の少年が、空中で右手を高くあげ、大きくVサインを出した。ひどくカッコいい。板をはなれて跳び上がるところから映像をスロー・モーションにして、Vサインを掲げるところで一瞬ストップ……と私は頭の中で編集をしていた。

（30年の物語「栗毛色の髪の青年」より）

サン・ルイ島中央に架かるマリー橋を渡った左岸側で、突然、演奏しながら通りを練り歩いていたブラスバンドチームと出くわしました。「こんなハプニングこそ、散歩の醍醐味」とは岸さん。

シテ島の東（上流）のサン・ルイ島には、十七〜十八世紀の美しい街並みが残っており、フランス人はこの島を「シックな街」と呼びます。島の周りには美しい木々の並木道があり、春から夏にかけ葉陰が濃くなり、まるで緑のスクリーンが島を取り囲む感じ。そして、真冬には、セーヌ河から立ち上るミルク色の霧が島を覆い、視界がおぼろになり、まさにスーラの点描画の世界に迷い込んだ印象です。

島の真ん中に横たわるサン・ルイ島通りには、ショーウインドーに工夫を凝らしたブティック、ギャラリー、サロン・ド・テなどが軒を連ねます。岸さんお気に入りの散歩コースでもあります。

貴族や芸術家が暮らした古い邸宅の並ぶ周辺は、いつもひっそりと静かな佇まい。中でもとりわけ美しいのが、ヴェルサイユ宮を手がけたル・ヴォー設計のランベール館です。そのすぐ近くにあるのが、現在パリ市の迎賓館になっているローザン館。ここにはかつてボードレールが棲み、ワーグナーも滞在したことがあるとか。どちらも非公開ですが、馬車で乗りつけるための広々とした玄関、高い天井の地上階（レッドショセー）、繊細な装飾の鉄の手すりがついたバルコニーなど、建物の外観を眺めるだけでも価値があります。

そしてお隣の島、シテ島一の名所といえば、ノートルダム寺院。一一六〇年代から百八十年もかかって完成したゴシック様式の大寺院は、まさにフランスの誇る歴史と芸術のシンボルです。内部も外観も圧倒される荘厳な造りですが、ちょっと離れて、サン・ルイ橋の途中から見るアングルもなかなかの迫力です。

ホームレスのおじさんの誇大妄想

空は青く、飛行機雲がうつくしい。セーヌ向うの左岸に聳《そび》える、現代建築技術の粋を集めたと評判の高い「アラブ研究会館」の高名なレンズ式窓ガラスも陽光に光る。

この窓ガラスは文字どおりレンズ式になっていて陽ざしが強すぎると、レンズはオートマティックに絞られ、雨の日などは全開になるので、アラブの美術品や絵を見るのに光線が柔らかくコントロールされているのだ。

いつもの肉屋で買い物を終え、並びのパン屋へと向かう岸さん。薬局も銀行も郵便局も、島の中。残念なのは、お気に入りだったクリーニング屋と魚屋さんがなくなってしまったことだとか。

セーヌ河畔の石畳を闊歩する岸さんのバックショット。いつも背筋を伸ばして颯爽と歩かれる。その速度はかなり速い。取材スタッフは遅れまいと、常に小走りでした。

「あれはサ」とおじさんはご機嫌であごをしゃくる。

「俺サマのお陰で建ったンだぜ」

「えッ？」

「金を出したのはアラブの殿サマだけどサ、工事人がちょっとでも怠けようもんなら俺ンチからまる見えよ。駆けつけて現場監督に文句言って尻をひっぱたいたのヨ」

おじさんは誇大妄想の世界に入る。

「落成式の日、殿サマが俺ンチまで礼を言いに来てサ」

うん、うんと私は大法螺《おおぼら》につき合う。

「ハーレムって言ったっけ、居並ぶ美女のうち気に入ったのを俺の嫁さんにくれるって言うんだよ」

「で、どうしたの？」

ここまでくると虚言も芸術である。

「断わった」

「もったいない」

「だってみんなたっぷりと太っちゃってさあ、タイプじゃなかったね。俺サマにだって美意識ってものがある」

笑い転げる私におじさんちょっと鼻白む。

「言っちゃ悪いけど、あんたみたいに細っこいの、アラブじゃ女の数にも入ンないよ。もうちょっとゆさっ、とこなくちゃね」

「何が？」

「胸とか、尻とかがさ、歩くたびにゆさっゆさっと揺れるのが美女の条件なんだとさ」

「そんな美女は願い下げだわ。少しばかり中年太りしたけど、自慢じゃないけど胸もお尻もゆさともしないわ」

「よかったねえ！」

おじさんはぴしゃりと私の背中を叩き、二人は大いに楽しい時間を過ごした。気がつけば、私の吐く息もおじさんと同じ、酸っぱくて粘り気のある悪臭になっていた。舌はさぞかし柘榴色に染まっていたことだろう。

その日から私たちはちょっとオツな関係になった。


（30年の物語「ホームレスと大統領」より）

岸さんがホームレス氏とブドウ酒を飲みながら語り合ったベンチがあるサン・ルイ島の河沿いの散歩道や橋の上から、アラブ世界研究所のモダンな建物がよく見える。

サン・ルイ島と左岸を結ぶシュリー橋のふもと、サン・ベルナール河岸に一九八八年オープンした「アラブ世界研究所」。ここはアラブ二十二ヵ国とフランスの共同出資で設立された文化交流のための施設で、イスラム圏の美術や建築などの博物館や展示館、図書館があります。

そしてこの研究所を有名にしたのが、先端技術を忍ばせたユニークな建物本体です。設計はジャン・ヌヴェル。建物の南側はコンピュータ制御のガラスのパネルで覆われています。このガラスのパネルが自動式シェードの役割を果たし、建物内部の明るさを常に一定に保っています。建物からちょっと離れて眺めると、太陽の光に応じてアラベスク模様を形成しているのがわかります。しかも、ガラスの壁面はゆるくカーブしているので、角度によってサン・ルイ島の建物が反射してパノラミックな風景が映し出されます。

さらに、最上階にあるキャフェ「ジリヤブ」からの眺望は絶景。観光客も少なく、ゆっくりとパリの風景を楽しめるセーヌ地区の穴場です。パリで最も高速といわれるエレベーターで屋上へ上がり、ミントティーを飲みながら、ノートルダム大聖堂を眼下に見下ろすことができます。

アラブ世界研究所

MAP E4

岸さんが暮らすサン・ルイ島をかすめてセーヌに架かる、シュリー橋のたもとにある現代建築。フランス人建築家ジャン・ヌヴェルの設計によるガラス張りの外観が目をひきます。内部はアラブ世界関連の書物が充実した図書館や大規模な企画展が開かれる美術館として一般に開放されています。レストランとキャフェのある最上階の広いテラスからの眺めは絶景。

イスラム建築の特色であるモザイク模様をガラスとメタルで現代的に表現した外観。

◀最上階のテラスは、パリのなかでも有数の眺望スポット。トゥルネル橋を前景に、右がサン・ルイ島、そして飛び梁と尖塔が美しい後陣からのノートルダムが望めます。

最上階のレストラン、キャフェ「Ziryab（ジリヤブ）」では、ミントティー（5ユーロ）とアラブ菓子（1皿8ユーロ）を賞味。

Institut du Monde Arabe
アラブ世界研究所
1, rue des Fosses-Saint-Bernard 75005 Paris

■電　話　01 40 51 38 38
■営業時間　10:00〜18:00
■定休日　月曜、5月1日

勇鮨

MAP E3

開店して間もない時間に普段着でひとりふらりと立ち寄って、カウンターで新聞を読みがてらにぎりをつまむ。ここは岸さんの心休まる場所のひとつ。中村勝男さん、日出子さん夫妻の目の行き届いたもてなしと、異国にいることを忘れてしまうような極上の味は、グルメの都の食通をもうならせるもの。連日ほぼ満席なので、予約は必須です。

お店はサン・ルイ島と左岸とを結ぶトゥルネル橋のたもと。島そのものが景観保存地区ということもあり、周りの風景にすっかり溶け込んだごく控えめな外観です。

ISAMI 勇鮨
4, quai d'Orléan 75004 Paris

■電　話　01 40 46 06 97
■営業時間　12:00～14:00、19:00～22:00、要予約
■定 休 日　日曜、月曜

いつも和やかなマダム、日出子さんとのおしゃべりもまた楽しみのひとつ。

ル・フロール・アン・リル

MAP E3

「お茶を飲むだけじゃなくて、どんな時間に行ってもなにかしら食べられるのがいい」と、岸さんごひいきのキャフェがここ。サン・ルイ島の西の角に位置し、セーヌ河を前景にしたノートルダム寺院の後ろ姿が眼前に広がるという絶好のロケーションです。目の前の橋、サン・ルイ橋は車の通らない歩行者だけの橋。休日には大道芸人のステージにもなります。

「食事はテラスよりも、店内の方が落ち着くわ」と岸さん。この日は、ギャルソンおすすめの日替わり魚介ランチメニューを楽しみました。

Le Flore en l'Ile ル・フロール・アン・リル
42, quai d'Orléan 75004 Paris

■電　　話　01 43 29 88 27
■営業時間　8:00〜翌2:00
■定 休 日　無休

島の突端という立地ゆえ、テラスからは視界が開けたパリらしい風景が広がります。

ガルディル肉店

MAP E3

「銀幕のスターが突然目の前に現れたんで、最初はほんとうにびっくりしたよ」と、ご主人のジャンポールさん。俳優は珍しくないこの界隈でも、ご近所の常連さん「マダム・シァンピ」の第一印象は、以来二十余年の歳月を経ても色あせず、鮮やかに残っています。

すっかり相好を崩して「マダム・シァンピ」こと、岸さんの印象を語ってくれたご主人。

「ステーキ用のフィレ肉をもとめられることが多いかな。お嬢さんもときどき見えますよ」

Boucherie GARDIL ガルディル肉店
44, rue Saint-Louis en l'île 75004 Paris

- ■電　話　01 43 54 97 15
- ■営業時間　9:00～12:45、16:00～19:45
- ■定 休 日　月曜、日曜の午後

品揃えはハイレベル。品評会入賞のメダルなどもウインドーに並んでいます。昨今店が入れ替わり生活の匂いが薄れつつある界隈とはいえ、ここには次代をになう息子さんの頼もしい姿が。

ベルティヨン

MAP E3

パリのアイスクリームといえばこのメゾン。市内多くのキャフェでも食べられますが、本店はまた特別。全部で七十種類のフレーバーのうち、常時二十種以上が店頭に並びます。テイクアウトコーナーの隣には、リニューアルされて美しく変身したシックなサロン・ド・テがあり、ゆっくりとスイーツが味わえます。

見目麗しく供されるアイスクリーム。

タルトタタンやマカロン、チョコレートケーキ。どれも美味しそうで目移りする、サロン・ド・テのショーケース。

マルタン夫妻のパン屋

MAP E3

美しいがゆえに訪れる人の絶えないサン・ルイ島ですが、通りのあちらこちらに、毎日の暮らしに欠かせないお店もちゃんとあります。マルタン夫妻が営むパン屋さんは、飾らない庶民的な雰囲気のお店。岸家の食卓にのぼるバゲットはこの店のもの。全粒粉が材料のとりわけ香ばしいアンシャンが岸さんの好みです。

先代のマダムの頃から、常連の岸さん。普段買わない甘いパンを買うと、「あら、今日は、お孫さんたちいらしているのね？」と言われるそう。

「日本にも美味しいパン屋さんはたくさんあるけど、やっぱりこっちのバゲットにはかなわないわ。細くて固いのが割と好き」

BOULANGERIE PATISSERIE PHILIPPE et FRANCIE MARTIN

マルタン夫妻のパン屋

40, rue Saint-Louis en l'île 75004 Paris

■電　話　01 43 54 69 48
■営業時間　7:15～13:30、15:30～20:00
■定休日　日曜、月曜

ここの行列はサン·ルイ島の名物。

Bertillon ベルティヨン

31, rue Saint-Louis en l'île 75004 Paris

■電　話　01 43 54 31 61
■営業時間　10:00～20:00
■定休日　月曜、火曜、夏季長期休業

地元の常連も多く、一度に7～8種類のフレーバーを味わうのを楽しみとする殿方もいるとか。

サン・ルイ島とシテ島の両方が望める、左岸の遊歩道にて。昼と夜では、背後のノートルダムの表情も変わる。

ノートルダム

MAP E3

パリの心臓ともいえる大聖堂。宗教的中心であり続けているばかりでなく、ナポレオンの戴冠式など数々の歴史の舞台となってきました。壮麗なステンドグラスに彩られたバラ窓をはじめ、独特の外観を見せる飛び梁、怪獣の形をした水落とし（ガーグイユ）など、フランスゴシック様式を代表する建築の宝庫。

Cathédrale Notre Dame ノートルダム寺院
6, place du Parvis Notre Dame 75004 Paris

■電　　話　01 53 40 60 87（塔のインフォメーション）
塔の見学時間　1月～3月、10月～12月は10:00～17:30、4月～6月、9月は9:30～19:30、7月、8月は9:00～19:30（土曜、日曜は～23:00）、窓口の受付時間は閉門の45分前（寺院そのものは特に休館日なし）。
■休 業 日　1月1日、5月1日、12月25日
■料　　金　7.50ユーロ（塔のみ。寺院は入場料不要）

パリの発祥の地であるシテ島のシンボル「ノートルダム（聖母マリア）」。最後の審判が刻まれた正門に面した広場は、フランス国道の起点にもなっている。

ステンドグラスで有名な「サント・シャペル」も裁判所の一部。特に、晴れた午後の美しさは格別。コンシェルジュリーとの共通見学券が便利。

コンシェルジュリーとサント・シャペル教会

MAP D3 E3

現在は裁判所の一部となっていますが、古くは宮殿として、あるいはセーヌ下流からの侵入者に対抗する要塞として重要な役割を果たしてきた歴史的建造物、コンシェルジュリー。大革命期には牢獄として、ギロチン送りとなる千人規模の人々が収容され、ルイ十六世の王妃、マリー・アントワネットが最期を過ごしたことでも有名。その独房も一般公開されています。

Conciergerie コンシェルジュリー
Entrée principale de la Conciergerie boulevard du Palais 75001 Paris

■電　　話　01 53 40 60 93
■開館時間　9:30～18:00（11月～2月は～17:00）
■休 館 日　1月1日、5月1日、12月25日
■入 館 料　6.50ユーロ（サント・シャペルとの共通券は9.50ユーロ）

現存するパリ最古の王宮の一部。中世の歴代フランス王の宮廷だったコンシェルジュリー。両替橋のたもとの一番高い塔には、14世紀に造られた公共時計が見える。

セーヌ河クルーズ

川面から眺めるパリ情緒

セーヌ河はパリの街を二分し、
右岸と左岸を結ぶ橋が三十本あまり架かっています。
河岸にはチュイルリー公園、ルーヴル美術館、
ノートルダム寺院などの歴史的モニュメントが並び、
それらの一部は世界遺産に登録されています。
岸さんの暮らすサン・ルイ島の脇も
昼夜を問わず遊覧船がゆるゆると行き交います。
川面に浮かぶ船の往来も、船から眺める街の様子も、
どちらも絵になる……それがパリの魅力です。

船上から見るパリの街並みは、歩いて見るのとは別の世界。食事付きクルーズやナイトクルーズ、シアター船など、目的に合わせて楽しめる。

シアター船

MAP D3 E3

パリのセーヌは、ツーリストを満載した観光船や資材などを運ぶ平底舟がひっきりなしに行き交う賑わいのある河。また河岸には、しゃれたガーデンチェアや植木鉢を載せた住まいとして機能する船やレストラン船などが停泊し、それがひとつの風景になっています。今回岸さんは、その中のシアター船に足を運び、パリの別の夜の顔を川面から楽しみました。

◀船特有の揺れさえ楽しむシアター船「メタモルフォジー」上の岸さん。ここではマジシャンやピエロが繰り広げる、どこかレトロな香りのするショーを気軽に楽しむことができます。

◀まずはディナー。窓の外の眺めもご馳走のフルコースで、デザート、食後酒までを堪能してから、いよいよスペクタクルの始まり、始まり……。

▲春から秋の「メタモルフォジー」は、岸さんの住むサン・ルイ島にも近いノートルダムの向かい側に停泊、営業しています。観光船が放つ照明に大聖堂が浮かび上がり、幻想的なパリならではの夜景も楽しめます。

▼突然炎が上がり、そうかと思えば美女が、鳥が消える、シュールなマジック。

MÉTAMORPHOSIS メタモルフォジー

(11月~3月)Sur berge, face au 7, quai Malaquais 75006 Paris
(4月~10月)Sur berge, face au 3, quai de Montebello 75005 Paris

■電　　話　01 43 54 08 08
■営業時間　(火曜～土曜) ディナー19:30～、ショー21:30～ (日曜) ブランチ12:30～、ショー15:00～　要予約
■料　　金　ショーのみ28ユーロ (子供15ユーロ)、ディナーとショー55ユーロ (子供30ユーロ)、ブランチとショー40ユーロ (子供30ユーロ)、日曜のショーのみ15ユーロ

バトー・ムーシュ バトー・パリジャン

MAP A3 B2 E3

パリはセーヌを中心にできた街。そのため、主要な歴史建築の多くが河沿いに位置しています。それらを心地よい風を浴びながら走馬灯のように眺められる遊覧船はパリ観光の醍醐味のひとつ。街の地理をおおまかに知ることにもなります。「バトー・ムーシュ」「バトー・パリジャン」のほかにも、いくつかの会社が同様のサービスをしています。

▲コースは「白鳥の小径」の西端に立つ「自由の女神」でUターン。

◀アルマ橋のすぐそばにある「バトー・ムーシュ」の発着地点。

セーヌに架かるいくつもの橋をくぐりながら、川面を滑るように進む遊覧船。写真は芸術橋にさしかかったところで、右側にはルーヴル美術館が見える。

◀建物がライトアップされる夜のクルーズもいい。左は1900年に造られた駅を再生させたオルセー美術館。印象派絵画の名作が収められている。

▼こちらも芸術橋付近のセーヌで、アカデミー・フランセーズがそびえる左岸側。あかね色の空を背景にしたエッフェル塔は息をのむほどの美しさ。

光のレースのようなエッフェル塔のライトアップも船上から間近に。

BATEAUX-MOUCHES バトー・ムーシュ

Pont de l'Alma（アルマ橋の右岸）

■電　　話　01 42 25 96 10
■セーヌ河クルーズ　10:00～23:00、日中は30分ごと、夜間は15分ごとに出航（繁忙期、冬季は変更の可能性あり）、行程は約1時間15分、料金7.50ユーロ
■ディナークルーズ　毎日20:30出航、行程２時間15分、料金は95ユーロか125ユーロ（メニューによる）、要予約
■土曜、日曜、祭日の12:30出航、行程１時間45分、料金は50ユーロ（子供25ユーロ）、要予約

Bateaux Parisiens バトー・パリジャン

La Tour Eiffel, Port de la Bourdonnais, ponton N3（エッフェル塔のたもと）通年
La Cathédrale Notre Dame, quai de Montebello（ノートルダム寺院のたもとモンテベロ岸）4月～10月

■電　　話　01 44 11 35 35

パリ市と郊外を繋ぐ鉄道駅

リヨン駅

かつて、詩人・萩原朔太郎《はぎわらさくたろう》が
「ふらんすへ行きたしと思へども　ふらんすはあまりに遠し」
と、憧れを吐露《とろ》した西洋への扉・パリ。
明治から大正、昭和初期のニッポンからは、
横浜や神戸の港を出て、船で何ヵ月もかかる大航海。
文豪・漱石《そうせき》や鷗外《おうがい》も、画家・佐伯祐三《さえきゆうぞう》も荻須高徳《おぎすたかのり》もみな、
マルセイユ港から列車で終着駅のリヨンを目指しました。
大志を抱いてパリの第一歩を踏みしめたニッポン人の心情は、
プロペラ機で五十時間かかって単身パリにお嫁入りした
二十代の岸さんと重なります。

「リヨン駅」は、パリに７つある国鉄駅の一つ。フォンテーヌブローやバルビゾンなどパリ近郊への急行列車やリヨン、南仏、スイス方面への超高速列車ＴＧＶ（テージェーヴェー）の始発駅として賑わっている。

MEGARIDE
adidas

鉄の装飾とガラス張りの天井、ベル・エポックな雰囲気漂う「リヨン駅」構内。レトロなイメージが旅情を誘う。

胸のトキメく汽車の旅

胸にさざなみが立ってきます。

妖し気な期待も湧いてきます。

ガタン、ゴトンと揺れる廊下を歩きながら、背後の足音が気になります。

今世紀はじめのスクリーンで、全世界の女性を魅了したという、ぴったりとした七三分けの髪形の、しなやかな長身をはためかせて、ルドルフ・ヴァレンチーノが私の化粧ケースを持ってくれるために、すっと寄り添ってくるような胸のときめきを覚えます。一九二〇年風のいで立ちで、一九二〇年風のほほえみで……ちょっと古すぎるかしら。ゲーリー・クーパーかクラーク・ゲーブル、いっそのことマーロン・ブランドかジェームス・ディーンの方がいいけれど、でも、オリエント・エクスプレスに怒れる若者や黒い革のジャンパーでもないし、マ、やっぱり、一度も見たことのないイタリアはカステラネータ生まれの世紀の美男、ルドルフ・ヴァレンチーノと迷わず心をきめましょう。

というわけで、胸トキメかせ、心おどらせ、媚《び》態《たい》をつくってふり向けば……君、そこにいませず……ヴァレンチーノならぬ、上原謙ならぬ、味もソッ気もないノッポの青年が、それでもベル・エポック風のユニフォームで、まことに慇懃《いんぎん》ごていねいに、私のコンパルチモンのドアの錠をあけてくれました。あたたかく深い色合いのシートに、サーモンピンクのランプシェイドがロマネスクな雰囲気をふりまいて、こんな汽車に乗りながら、女のひとり旅という無骨さを、私のかわりにはじらってくれているみたい。

「旅」ということばの持つ、しびれるような感覚を、私たちは忘れてしまった。

その昔、手甲脚絆《てっこうきゃはん》にわらじばきで、東海道五十三次を歩いたひとたち。宿場、宿場の名物や、顔なじみの繁華な旅籠《はたご》。酒盛女に浮かれ、追いはぎにおびえ、大井川は裾をからげて渡り、そびえ立つ富士の姿に感涙し、箱根の山は身をひきしめて越える……。

三本マストの咸臨丸《かんりんまる》で、はじめて太平洋をアメリカへと横断した勝海舟《かつかいしゅう》たちが、どれほどの熱い思いで胸をふくらませたのか……そんな大昔の、我が母国にさかのぼらなくても、フランスの豪華な客船「フランス号」で、大西洋航路に身をゆだねたヨーロッパのひとびと。

コルセットでウエストを締めあげ、あでやかなデコルテの胸に、アヴァンチュールへの甘い夢を波立たせていた女たちが、暮れなずんだ海洋の真ン中で、しどけない姿でアペリチーフを飲んでいたのは、まだ、つい最近のこと。

駅構内にあるレストラン「ル・トラン・ブルー」には、今なお、列車旅行の旅情とレトロな雰囲気が残っています。

その中でも、オリエント・エクスプレスは、十九世紀の後半から、優雅さと謎めいた魅力で、旅する人たちのこころを奪っていた乗物のクイーンであり、社交場なのだった。

その頃の旅人の緊張や夢やポエジーは、ジャンボ・ジェットやコンコルドの出現で、いつの間にか忘れ去られ、乗物というものは、ただ便利に、ただ速く、一人の人間を一つの場所からもう一つの場所へ運んでゆく機械になり下がり、あるいは成り上がってしまった。

そんな折柄、昔ながらのオリエント・エクスプレスの復活は、見果てぬ夢へのノスタルジーをかき立てて、今、ヨーロッパの話題をさらっている。

（私の人生 ア・ラ・カルト「オリエント・エクスプレス」より）

世界中をジェット機で行き来するようになって、私たちは未知の遠い国へ赴くときの、心細さもときめきも忘れてしまったようです。

明治・大正ほど昔ではなくても、作家の遠藤周作氏は航路東シナ海からインド洋を経てマルセイユ港へ、そこから鉄道でリヨン駅を目指しましたし、多くの文人、芸術家たちが陸路や航路で、ヨーロッパへと渡りました。

列車や船に揺られる旅人は、拠り所のない不安を抱えながら、食事をしたり束の間の社交を楽しみながら、憧れの地へ徐々に近づく期待感を高めたのです。

リヨン駅には、そんな時代の懐かしさが漂っています。岸さんがオリエント・エクスプレスに乗ったオステルリッツ駅とはセーヌ河を挟んで反対側に位置します。

旅情豊かな鉄道の旅の雰囲気は、リヨン駅構内のレストラン「ル・トラン・ブルー」の内装にかなり濃厚です。ゴージャスなシャンデリアや天井画が当時のまま残されたこのレストランは、映画「ニキータ」（一九九〇年）の暗殺劇の舞台としても有名になりました。殺し屋として教育されたニキータが、初めてのミッションを決行した場所です。

もう一つ、鉄道の旅のレトロな雰囲気を残しているのが、リヨン駅とバスティーユ駅の間に架かる国鉄近郊線の高架橋です。現在は、職人たちのアトリエ・ブティック街「ヴィアデュック・デザール」に生まれ変わり、屋上が遊歩道になっています。

列車の旅がステイタスだった古きよき昔を今に伝える豪華なインテリア。

ル・トラン・ブルー

MAP F4

一九〇〇年のパリ万博を機に造られたリヨン駅の中にあるレストラン。天井の高いひろびろとした空間は、ベル・エポックの優美を色濃くとどめています。当時の画伯たちが腕をふるった壁画は、パリをはじめ、リヨン、マルセイユ、ニース、モナコ、さらにはアルプスまで、この駅を起点にした列車の沿線をテーマにしたもの。時のベールに包まれた雰囲気のなかにゆっくりと身を落ち着ければ、旅心もいっそうきわまります。

★メニューの一例　前菜、メイン、デザートに２人で１本のワインがセットになったコースメニュー44ユーロ～（１人分）。併設のキャフェLe Big Ben Bar（ル・ビッグ・ベン・バー）では、飲み物とサンドイッチなどの軽食がより気軽に楽しめる。

右上から時計回りに、仔牛のホワイトソース煮込み、鴨のフォアグラ、スコットランドサーモンのグリル。

Le Train Bleu ル・トラン・ブルー
Gare de Lyon-place Louis Armand 75012 Paris

■電　話　01 43 43 09 06
■営業時間　11:30～15:00、19:00～23:00、要予約
■定休日　無休

パリ近郊の緑深い森と渓谷

フォンテーヌブロー

パリを半径百キロの範囲で取り巻く緑豊かな一帯は
イル・ド・フランス（フランスの島）と呼ばれています。
フォンテーヌブローは
歴代王侯貴族たちの狩猟場として愛された地。
ルネッサンス様式の宮殿や庭園と、
その周辺に広大な森と渓谷が広がっています。
岸さんもたびたびオープンカーを駆って、
パリとは異なる時間の流れに身を任せます。

ナポレオンが愛したフォンテーヌブロー城を「黴くさいし、退屈」とサッと通過して、広大な森へと急ぐ岸さん。

旅先の小粋なハプニング

「人生なんて、所詮《しょせん》は数コマの映像にしか過ぎないって、彼が言うの」と女友達が言った。彼とは「太陽がいっぱい」でアラン・ドロンと共演したモーリス・ロネのことである。女友達は後年「男と女」で素敵な中年女性を演じたアヌーク・エメである。

その時、私達は赤いトライアンフで南仏に向かっていた。彼女も私も三十そこそこ、人生を謳歌《おうか》するのに忙しく、それを語るのには若過ぎた。

幌《ほろ》を上げ、髪を風になびかせて、所々に群生する赤いコクリコに彩られた、波打つ麦畑のパノラマを眺め、印象派の絵の中を走っているようないい気分だった。突然、バックミラーの中に白い物体が浮かび、ぐんぐんと加速してきた。

「ポリスよ」

あっという間に近づいてきた白バイは、並走しながらピシッと敬礼して笑顔を見せた。息をのむばかりの美青年だった。その稀有《けう》なる美に敬意を表して、私は車を路肩に止めた。

「まさか、スピード違反じゃないでしょ？」

アヌークが婉然《えんぜん》と笑った。その笑みにも少し翳《かげ》りのある美がさざめいた。

「今、百キロも出していなかったけど」

負けじと私も言ってみながら、ヘンよ、と思った。その頃のフランスにはスピード制限はほとんどなく、目に余る暴走以外は二百キロぐらい平気で飛ばせた。

「マダム、百キロの低スピードで中央車線を走っては高速車に追突され

オープンカーで森の中を駆け抜けた岸さん。「日本でもパリでも、運転しているときが一番自由を感じるの。外界から断絶された私だけの空間だから」

る危険があります」

「あ、コクリコに見とれて……」

「コクリコ……？」

おうむがえしにつぶやくと、白バイ氏は麦畑の中に消えた。泳いでいる。キョトンとした私たちの車に暫時の後、両手いっぱいに摘み取ったコクリコの花が投げ入れられた。

「旅の道連れに、車にお似合いの赤いブーケです。ボン・ヴォワヤージュ」

美男氏はエンジンをふかし、燃える陽炎《かげろう》の中に遠くなっていた。「何て小粋なの」アヌークが歓声をあげた。

幾歳月かが過ぎ、洋の東西を覆う暗雲の中で思う。あれはやはり特筆すべき、美と洒脱のひとコマであったと。

（私の人生 ア・ラ・カルト「ひとコマの美」）

町のレンタサイクルショップで借りた自転車で森を散策。「自転車に乗るのなんて、ほんとうに久しぶりだわ」といいつつも、颯爽とした走りっぷりでした。

パリ市内から車や列車で小一時間ほど行けば、嘘のようにのどかな田園風景が広がっています。パリを囲む半径百キロの範囲は、世界でも有数の穀倉地帯、農業国フランスの豊かさを感じさせます。これら、パリを中心とした半径百キロ一帯は、セーヌ、オワーズ、マルヌ、ウルクなど、大小の川に縁取られていることから「イル・ド・フランス（フランスの島）」と呼ばれています。

パリの南東六十キロのフォンテーヌブローの森は、中世封建時代からナポレオン三世の治世まで、時の支配者たちの狩猟場として愛されてきました。十六世紀にフランソワ一世がイタリアから建築家を招いてルネッサンス様式の宮殿を建ててからは、歴代の王によって増改築が行われ、皇帝ナポレオンも最後の日々をこの地で過ごしています。

二万五千ヘクタールの広大なこの森は、九〇パーセントが森林に覆われ、残り一〇パーセントが荒れ地と岩山。気持ちのいいハイキングコースから、山岳ロッククライマーのトレーニングコースまで、変化に富んでいます。パリを起点に半日もしくは日帰りできるため、休日には散歩やサイクリングを楽しむ人々で賑わいます。

フォンテーヌブロー城

この城の名は十二世紀からすでに歴史に見え、ルネッサンス期の王、フランソワ一世のもとに、レオナルド・ダ・ヴィンチをはじめとする当代一級のアーティストが集い、芸術の花が開きました。城は歴代の王たちの住居としての建築的興味に加え、ナポレオンの礼服や遺品を収めた展示室もあり、見ごたえがあります。池や運河が配された広大な庭園の風景も見事です。

森と賑やかな城下町を控えてそびえるシャトー。

Château de Fontainebleau フォンテーヌブロー城
Musée et domaine nationaux du château de Fontainebleau
77300 Fontainebleau

■電　　話　01 60 71 50 70
■開館時間　9:30〜17:00（10月〜5月)、9:30〜18:00（6月〜9月)、入館は閉館の45分前まで。庭園は、9:00〜17:00（11月〜2月)、9:00〜18:00（3月、4月、10月)、9:00〜19:00（5月〜9月）
■休 館 日　火曜、1月1日、5月1日、12月25日
■料　　金　5.50ユーロ、毎月第1日曜は無料
■アクセス　パリ・リヨン駅から列車で45分、フォンテーヌブロー・アヴォン(Fontainebleau-Avon)駅下車。駅からバスで15分。

シスレーの愛した川べりの町

モレ・シュール・ロワン

パリの南東約八十キロ、ロワン川周辺は、
十三世紀まで王家とシャンパーニュ伯爵家が
領土を争った城塞都市。
今も残る、二つの城門と城壁に囲まれた
川べりののどかな町です。
町の至る所で、
シスレーの作品そっくりの風景に出合えます。

モレ・シュール・ロワンは、ロワン川がセーヌ河に合流する地点にある。水辺の水車小屋から中世の雰囲気が漂う風景を眺める。

日溜まりの家、川べりの家が続く町

フランスは、パリとかその他の都会を離れると、一軒立ちの家には番地のかわりに、それぞれ勝手な名前をつける風習があります。ムスメが生まれ、週末を過ごす田舎の家を捜し出してから三年目に、シャントコックという田園の町の、丘の上のレ・ファイスという名のちいさな村に、この田舎家はありました。この村に、この家一軒、夫の理想とする人里離れた野中の一軒家で、改造するのに二年近くかかり、その二年間、いろいろな家名を考えたあげく、村名をそのまま、家名としました。

（書簡集 パリ・東京井戸端会議「1972」より）

イル・ド・フランスの自然、キラキラ光る川面や樹木、太陽の光を肌で感じるには、ロワン川巡りがお勧めです。フォンテーヌブロー・アヴォン駅から一つ目、モレ・レ・サブロン駅から町の中心のノートルダム教会まで、約二キロの道が続きます。ロワン川に架かる橋は、イル・ド・フランスでも由緒ある橋のひとつ。橋の周辺には、二階部分が一階よりも張り出した形をした、古い家並みが見えます。岸さんの別荘に倣って「日溜まりの家」「川べりの家」などと、散策途中に見かけた古い家々を、勝手に名づけて呼びたくなるような、懐かしさの漂う地域です。

印象派の画家、アルフレッド・シスレーは亡くなるまでロワン川沿いの町モレにとどまり、「モレの橋」や「モレの聖堂」など、この橋と町をのぞむ風景を描き続けました。シスレーは毎日どんな気持ちで歩いていたのか、と想像しながら川面に逆さに映る家並みを見ていると絵の中に迷い込んだような錯覚にとらわれます。

印象派の世界にさらにどっぷり浸るなら、遊覧船での川下りもロマンチック。ロワン川周辺には、モレの他にも美しい町が点在しています。モレの北西にはセーヌ川との合流点にサン・マメの町があり、日曜日には河岸に市がたちます。そしてモレの南西にはモンティニ・シュール・ロワンとグレ・シュール・ロワンの町があり、豊かな田園風景を満喫できます。

12世紀の城門をくぐって町へ入れば、そこはシスレーの風景画の世界。岸さんも何度も訪れている、モレ・シュール・ロワンは、こぢんまりと静かな、水辺の町でした。

モレ・シュール・ロワン

パリ、リヨン駅から約四十五分。一時間に一本ほどの割合で出ている郊外線の駅を降りれば、そこは都会とはまったくの別世界。中世の城塞都市としての面影を残す門、ロワン川に架かる橋、ノートルダム教会、ナポレオンが数時間過ごした家、フランソワ一世の家など、のんびりとした歴史散歩ができる町です。

旧市街の目抜き通り両端にそびえる門。数世紀を経て20あったうちの 2 つが、今もこのように残っている。

Moret-Sur-Loing モレ・シュール・ロワン
Office de Tourisme

■電　　話　01 60 70 41 66

ロケ当日は、木漏れ陽とそよ風が心地よい日でした。川面は光を集めて鏡となり、シスレーが描いた絵画そのままの、空と樹木と村の風景を映し出していました。

シスレーの家

印象派絵画の大家シスレーは、一八八二年から没年（九九年）までの晩年をこの町に暮らしています。当時はその作風が日の目を見ず、現在の名声からは想像しがたい恵まれない清貧を生きましたが、「モレの聖堂」「モレの水車小屋」など、この土地の水と空と光を題材にした数々の代表作を生みました。

モンマルトル通りに残るシスレーのアトリエ兼住まい。町には彼の名の付いた通りもあり、人々に親しまれている。

Maison de SISLEY シスレーの家
19, rue Montmartre 77250 Moret-Sur-Loing

■教会の裏手に位置する。一般公開はしていない。

花の町

フランスの地方を旅すると、町のそこここに施された、美しく何気ない花の装飾に心が和まされます。小花が寄せ植えになった鉢を取り付けた街灯が通りにずらりと並んでいたり、橋の欄干が鮮やかな彩りで覆われていたり。町ぐるみで花を飾るというこの志に、岸さんもしばしば関心を寄せています。

▲道路の行き先表示板のポールに据えつけられた鉢植え。

◀モレ・シュール・ロワンの民家。町歩きの楽しみは、名所以外のこんなところにもあります。

コクトオが眠る村

ミイ・ラ・フォレ村のシャペル

中世で時が止まったような静かな村、　　ミイ・ラ・フォレ。
この村で愛するジャン・マレーと
十七年間暮らしたジャン・コクトオは、
村のシャペルの内壁に
シンプルな線画による薬草の壁画を残し、
自らもここに埋葬されました。
詩や小説、　デッサンなど二次元の表現に止まらず、
映画、　演劇、　バレエとさまざまなジャンルで
古典と前衛を自在に往還した
鬼才ジャン・コクトオの魂のふるさとです。

コクトオが眠るミイ・ラ・フォレ村のシャペル。12世紀からハンセン病の治療院だったため、庭では今も薬草が育てられている。現在もこの村はミントなど薬草の栽培地として有名。

コクトオの幽幻美に魅せられて

それから、限りなく歳月は流れ、パリという街へ住む身となった私は、ある日胸をときめかせて、ジャン・コクトオさんのパリの仕事場のベルを押した。

秘書か、執事に出迎えられるものと思っていたら、ドアを大きく開け、片方の腕を翼のように拡げて私を抱きかかえるように招じ入れてくれたのは、灰色の作業衣を着た詩人その人だった。

なぜ、片方の腕だったのか……。もう一方の腕で詩人は、眼がキラキラと銀色に光る大きなペルシャ猫を抱いていたのである。

抱き寄せられ、頬にやさしくキスをされて、私はいやおうなくペルシャ猫とドッキングする羽目になり思わずクッシュンとくしゃみをしてしまった。私は猫がダメなのだ。

中学生のときにはじめて観た映画、「美女と野獣」以来の憧れの巨匠ジャン・コクトオに招かれて、天にも昇る気持ちなのに、あろうことか、挨拶もしないうちに立てつづけに

コクトオがシャペルの内壁に描いた繊細でシュールな筆致の壁画。床中央には彼の墓石がある。墓碑銘は「私は君たちと共に在る」。ジャン・コクトオ1963年10月11日永眠。

四、五コのくしゃみをしてしまった。

　詩人は、面白そうに笑って言った。

「Bravo《ブラヴォー》, à《ア》 Vos《ヴォ》 Souhaits《スウェ》!」

　フランスには、誰かがくしゃみをすると、

La Chapelle Saint Blaise des Simples
ラ・シャペル・サンブレース・デ・サンプル
Rue Jean Moulin 91490 Milly-la-Forêt

■電　　話　01 64 98 84 94
■見学時間　復活祭から万聖節(春〜夏)10:00〜12:00、14:30〜18:00(火曜休み)、万聖節から復活祭（秋〜冬）10:15〜12:00、14:30〜17:00（土曜、日曜、祭日のみ）、11月の後半２週間と１月15日からの３週間、閉館。

廻りの人たちは間髪を入れず、「ア・ヴォ・スゥエ！」という習慣がある。
「あなたの願い事が叶いますように――」
言われた相手もまた、間髪を入れずに「ありがとう」と応える。私も次なるくしゃみの連波を押さえこむように慌てて言った。
「メルシィ」

（30年の物語「影絵の中のジャン・コクトオ」より）

中学生の岸さんが初めて見た映画、友人と二人で校則を犯して映画館へ行って見たのは、ジャン・コクトオの「美女と野獣」でした。映像との出会いがフランスの作品だったことが、その後の岸さんの運命を決めたといっても過言ではないでしょう。

二十四歳の春、川端康成原作の「雪国」（一九五七年、監督：豊田四郎）を最後に、潔《いさぎよ》く大スターからフランスの映画監督イヴ・シァンピ夫人となった岸さん。

シァンピ夫妻の住んだパリ・オッシュ街十番地の自宅（1章「凱旋門」6ページ参照）は、イヴ・シァンピ氏の友人で「美女と野獣」の舞台装置を手がけた美術監督がデザインした、非常に独創的な内装の家でした。

この家のサロンは、ヴァイオリニストの義母イヴォンヌとピアニストの義父マルセル・シァンピ夫妻を中心に、アンドレ・マルロオ、サルトルとド・ボーヴォワールのカップル、イヴ・モンタン&シモーヌ・シニョレ夫妻、ウィリアム・ホールデンやオードリー・ヘップバーンなど著名な文化人が大勢集い、政治や芸術談義、ときに際どい風刺が飛び交う社交場でした。まだフランス語を勉強中だった岸さんは、一生懸命彼らの世界に馴染もうと努力しました。積極的に政治的立場を表明する著名人たちとの交流により、次第にヨーロッパの歴史や人種問題、宗教問題に眼を向けるジャーナリストの感性を育んでいったのです。

そしてパリに暮らし始めて数年後、岸さんはジャン・コクトオじきじきに舞台「濡れ衣の妻」の主役に誘われました。この作品はコクトオの処女戯曲で、有名な俳優たちが主役の名乗りを上げたにもかかわらず、何十年も上演を禁じてきた思い入れ深い作品です。

あるパーティーで岸さんを見かけたというコクトオは、「二十三歳の私には、まだ生まれてもいないあなたが、ちやーんと見えていた」と熱心に口説いたのです。

こうして私はパリで初舞台を踏んだ。

私はコクトオさんに示唆《しさ》されたとおり、踊りともパントマイムともつかない体の動きを考えだしていた。科白《せりふ》はすべて韻《いん》を踏んだいわば七五調《アレキサンドラン》。それを高く張りつめた声で、泣くように、うたうようにゆったりと語る。

両手を翼のように拡げて、右手の指で調子をとりながら左手の指を折ってゆく。

「Je compte sur mes doigts sept ans《ジュ・コント・シュール・メ・ドワ・セッタン》……
指折りィ～、数えて～、七年……」

私の指の動きは背景の黒幕に影絵となって映り、その影絵の中で舞台の上の私は動く。

深夜二時の舞台稽古に、コクトオさんはグレイの長いカシミヤのオーバー・コートを着流し、オフホワイトの絹のマフラーを幾重にも巻きつけて、観客席のド真ン中に、一人鶴のように立っていた。時折、歌舞伎の掛け声もどきに叫ぶ。

「キ・キュ・ギョ・リョオ！」

情けないことに、私は偉大な五代目尾上菊五郎さえ知らず、六代目の舞台も観たことがない。けれど、そこははったり。キキュギョリョウの申し子であるかのように恥ずかし気もなく舞台の上で高揚する。

1961年、パリ・アリアンス・フランセーズで上演された、コクトオの遺作「濡れ衣の妻」の舞台稽古風景。コクトオは喜怒哀楽を描いた羽子板を小道具に使った。

演出助手やスタッフは詩人の存在感に呑まれでもしたように、深夜の静寂と、照明の作る陰の暗がりに黒子のようにひっそりと沈み、誰もいない劇場いっぱいに詩人の声だけがこだまする。

そして、長いグレイのコートが、さながら「オペラ座の怪人」のように大きな影を作って揺れる。

（30年の物語「影絵の中のジャン・コクトオ」より）

▲今も岸さんが大事に持っている、コクトオさんが舞台稽古中に書いてくれた「濡れ衣の妻」を演じる岸さんのデッサン画。

◀「濡れ衣の妻」の舞台稽古をしている岸さん。この芝居では、中国人の妻を演じた。

この物語は、中国の民話にヒントを得た、影に嫉妬する夫に濡れ衣を着せられて身投げする悲しい人妻の話。影が主役という難しい作品です。

コクトオは岸さんに、台詞は韻を踏んで七五調（アレキサンドラン）で歌うように語り、二枚の羽子板を使うパントマイム風の抽象的な演技を要求しました。羽子板の裏表四面は、喜怒哀楽を描いたマスクになっています。

コクトオは一九三六年五月、世界一周旅行の途上日本に立ち寄り、歌舞伎や大相撲を見物しています。コクトオには、パーティー会場に佇《たたず》む岸さんが、東洋の影を持つ美の化身に見えたはず。その影を、さらに幻想的に増幅させるための抑えた演出、映像の不思議さを生身の舞台で表現しようという試みだったのだと思います。

深夜の舞台稽古で、七十代の詩人はまるで「オペラ座の怪人」のように大きな影を作って揺れながら、岸さんの心に影の雅を残したのです。

こうして一九六一年に、パリのアリアンス・フランセーズ劇場で上演された「濡れ衣の妻」は、コクトオ最後の演出となりました。

旅行が自由化されていなかったこの時代、この舞台を観た日本人は、毎日新聞特派員のご主人といっしょにパリに駐在していたノンフィクション作家の角田房子さんなどわずか五人。その一人にちょうどパリに旅行中の三島由紀夫氏がいました。三島氏は、楽屋にコクトオと岸さんを訪ね、演出も演技も素晴らしいと、目に涙を浮かべて感動を伝えています。

舞台終演後の楽屋を訪れた作家三島由紀夫氏を挟んで、岸さんとジャン・コクトオさん。

画家たちを惹きつけた農村風景

バルビゾンの村

フォンテーヌブローの森から北西へ十キロ、
小さな田舎の村バルビゾンに
十九世紀の中頃、
パリから多くの画家たちが移り棲みました。
ミレー、ルソー、コロー……
村の素朴な風景を好んで描いた彼らは
のちにバルビゾン派と呼ばれるようになりました。

クラシカルな雰囲気のバ・ブレオの母屋から、テラスとつながる宿泊用コテージを抜けると、開放的な庭園が広がる。木々や花壇を、幾何学模様に整えたモダンな空間。

あじさい色の孤独

「うちの庭にあじさいの花が咲いたとき、あじさい色のローブ・ド・ソワールが出来てきて、つたの葉のからまったちいさな窓に坐ってみたら、こころの底までずっしりと、あじさい色に変身《へんげ》した。
そのあじさいの服を着て、歩く道は一本道。
とうもろこしと麦畑の、長い田舎の一本道。
どこまでもどこまでも続くその一本道で、あたしはもう、だあれにも逢わない。それはちょっとばかりさびしくて、ちょっとばかりすずやかで、ちょっとばかり華やかなこと」

あじさい色の夜会服を着て、長い田舎の一本道に立った私は、そそげた孤独の淵にたたずみ、しかめッ面をして、その孤独に酔っていた。

（巴里の空はあかね雲「燃えおちる風景」より）

美術史でバルビゾン派と呼ばれる風景画家たち（ルソー、ミレー、コローら）は、郊外の光と飾り気のない農村風景を好んで描きました。

もともとヨーロッパの絵画は、宗教画や宮廷の人物画を中心に発達し、その多くは室内の蠟燭の炎の下で描かれたものです。ところが十九世紀半ば、フランスの画家たちは鉄道列車で郊外を訪れ、太陽の光の下で絵の具を溶く快感を手に入れました。当時、パリの人々を光のなかへ誘いだしたのは、ナポレオン三世によるパリ大改造だといわれています。一時失脚して幽閉されていたナポレオン三世は、持病のリウマチのため湿気を嫌い、野外で新鮮な空気を吸い、太陽の光を浴びる文化をいち早く取り入れた人物です。だから、鉄道網が整備されたのも彼の持病のおかげというわけです。

それはともかく、当時のバルビゾンには八十人ほどの画家が滞在したといわれ、のちの印象派作家、ルノワールやモネに大きな影響を与えました。

現在、村のメインストリート、グランド通りに沿って観光スポットが並んでいます。

「ミレーの家」は、ここで一生を終えたジャン・フランソワ・ミレーが一八四九年から二十五年間を過ごしたアトリ工兼自宅です。代表作の「落穂拾い」や「晩鐘」もこの地で描かれたものです。館内には下絵やパレットなどミレーの遺品、モデルとなった村人の写真などが展示されています。

他にも、この村に滞在した若き画家たちの溜まり場だった「ガンヌの宿」は市立バルビゾン派美術館に改装され、「ルソーの家」は観光案内所として多くの観光客に親しまれています。

岸さんが、ときどき大事なゲストをお連れするというバ・ブレオのテラス。「ちょっと郊外までドライブがてら、という距離もいいし、なかなか素敵なところでしょ？」

アンティックの調度品がさりげなく配された、暖炉の燃えるバーラウンジにて。

バ・ブレオ

数々の画家や文人を惹きつけ、創造のインスピレーションを育んできたこの土地を代表するホテル・レストラン。古くは森の散策の帰りにナポレオン三世が王妃とともに立ち寄り、昭和天皇が優美な秋の日を愛でられたのをはじめ、モナコのグレース王妃など各国の要人たちをもてなしてきた由緒ある場所です。

▲1971年に昭和天皇が召し上がった、エスカルゴ、シャロレ牛などのコース。

▶大きなマロニエの木があるテラス席に面したメインダイニングルーム。

◀バ・ブレオのエントランス。鹿の角や頭部の剝製が飾られ、昔、ここが貴族たちの猟場として栄えたなごりを漂わせています。

Hôtellerie du Bas-Bréau
ホテルリー・デュ・バ・ブレオ
22, rue Grande 77630 Barbizon

■電　　話　01 60 66 40 05
■室 料 他　シングル145ユーロ〜、ダブル245ユーロ〜、朝食20ユーロ、ランチコース（ウィークデイ）53ユーロ〜、コースメニュー75ユーロ〜、昭和天皇が召し上がった特別コースは85ユーロ
■休 業 日　無休

ミレーの家

バルビゾン派を代表する画家ミレーが二十五年間暮らし、そこで生涯を閉じた自宅兼アトリエが一般公開されています。第一室は「晩鐘」「落穂拾い」が制作された場所。彼が生きた当時そのままに道具類がおかれています。また次の部屋は九人の子だくさんだったという家族が食事を取った場所。決して楽ではなかった庶民の姿を描き続けた彼の人生を垣間見るようです。

▲世界的名画が生まれた場所はいかにも彼の作風そのもののように、質素なたたずまいをしています。

Maison-Atelier Jean-François Millet
ミレーの自宅アトリエ
27, rue Grande 77630 Barbizon

■電　　話　01 60 66 21 55
■開館時間　9:30〜12:30、14:00〜17:30
■休 館 日　日曜、火曜

独自の文化と歴史を持つ

ブルターニュ地方

二〇〇五年九月二十三日。ブルターニュの旅、三泊四日目の朝です。
きのう迄の、青い空と蒼い海、光あふれるのびやかさが一変して、
風の唸り声と、「魔女」「海猿」などと名づけられた奇岩たちの上に、
白い牙を剝いて攻め登る波《は》濤《とう》。
太陽も、青空もまだ健在だけれど、
間もなく、それらすべてを覆うだろう、
荒くれた黒い雲が水平線から湧いてくるはず。
そのくせ、その雲のすきまを縫って
キラリとあざ笑うように降ってくる黄金色の鋭く細い陽光。
壮麗と荒《こう》寥《りょう》。ほほえみと泣きっ面。素朴と秘密っぽさ。
これこそが、私の愛するブルターニュ。

かつての伝統的な漁船をそのまま現代に復刻したというサン・ギレック号。帆を張って、風を受け、きらめく海を滑るように走る。

赤い帆をかけた漁船に乗って

九月二十一日。よれた白いシャツに、これもよれたローズ色のスカーフ、というか首巻き。くたびれた茶っぽいコーデュロイのパンツに皮ジャン。

全体的によれっているのに、断然、小粋でカッコ良い若い男が、沖に浮かんだこの地方独特の赤い帆を張った漁船を背にして立っている。私に向かって笑った。爽やかで清潔な笑顔。三十六歳になったという俳優の岡本健一君なのであります。

ギリシャで撮影した蜷川幸雄《にながわゆきお》さん演出のドラマ「水の女」で共演して以来十七年が経っている。その間、ただの一度も逢っていない。

「一期一会」流の生き方に殉ずる私は、「お疲れさまッ」と言って散ったスタッフや共演者と、私的な交流を持ったことがない。

「君、あの時いくつだったの？」

十七年振りの再会にしては唐突な質問に、

「十九歳」という晴れやかな笑顔が応じた。

「えッ？　少年じゃない！」

「ええ、子供でしたよ」

「で、今、三十六歳か……。ほんとに十七年も経っちゃったんだ……」

男っぽすぎず、幼なすぎず、清々しい青年になった健一君を眺めながら、あらためて時の流れの早さに茫然としている私に、

「じゃ、撮《い》ましょうか？」と演出家の声がかかった。

嘘のように穏やかなエメラルド色の海と、バカバカしいほどに晴れ上がった青い空。私は昏《くら》く、荒れたブルターニュの海を期待していたのに……。

「手、つなごうか？」

「うん」健一君は少年のように頷いた。

こうして二〇〇六年、新春に放送されるはずの「とっておき十日間のフランス旅（仮）」という「特番」の初日、第一カットがはじまった。

場所はフランス北西部のブルターニュ地方。詳

しく言えばコート・ダルモール県の、「グラニット・ローズ海岸線」。ローズ色の花崗岩が、長い時の流れの中で、風雨と荒波にさらされ、不思議な形の岩石を作り出し、奇妙な光景をひろげている大好きな海。

　私がこの風景を見て、息を呑むほど感動したのは、もう何十年も昔のこと……。

　篠つく雨と荒れ狂う波に、赤い帆が叩きのめされ、沖に見え隠れする漁船が印象的だった。

　今回の撮影に同じような漁船を所望した私に、土地の観光オフィスは断固「ノン」と言った。「危険すぎる」というのがその理由。六月の

船のキャプテン、ドゥニーに、二人で舵を取らせてもらった。舵は意外と重く、なかなかいうことをきかない。操縦にはやはり熟練の技がいるらしい。

僧侶サン・ギレックの像を祀る祠。満潮になれば海岸一帯は波に覆われる。引き潮時にしか砂浜を歩くことはできない。

暑い日、ロケ・ハンでのことだった。けれど三ヵ月経ったこの日、二十年前に当時の漁船をそのまま再現したという「サン・ギレック号」を工面してくれた。

釣り船というよりは、波の静かな日、観光客などを乗せてローズ海岸、特に、昔、この村にやって来た修道僧をあがめて建てた祠《ほこら》のある「聖《サン》ギレック海岸」を廻るそうである。

その祠には、縁結びの聖像が立っていて、思いびとと結ばれることを願掛けする乙女は、祈りながら聖者の鼻を針で突付くと、その年の内に結婚が叶うとか、なんとも滑稽な伝説があるのです。

ブルターニュ最後の日に、遠浅の海に全姿を現した祠を覗いてみた。

あわれ聖者は、鼻なしどころか、突付かれすぎて顔中が穴だらけだった。所変われば品変わり、信心願掛けもこうもちがうのか、と思わず笑ってしまった。

東洋、特に日本ではおキツネ様に油揚げを捧げたり、お地蔵様に赤いおべべを着せて供え物をして愛おしむのに……（このあたり、私よく知らん。かなり当てずっぽう）。

はなしを元へ戻すと、帆船は、拍子抜けするほど穏やかな海を滑って、この辺りの観光ハイライトの一つであるという、何万羽というナントカ鳥とか、アザラシの棲息するという孤島に近づいている。遠目からも、島の左肩斜面が広範囲に白い。不気味に白い。

「あれ、みんなツノメ鳥ですよ」と船長のドゥニーが誇らし気に説明しはじめた途端、身体中に悪寒が走り、怖気《おぞけ》が立って、顔から、血の気が引くのが分かった。

ヒッチコックの映画「鳥」以来、私はスズメより大きい鳥はすべてダメなのであります。カラスは言うに及ばず、ウミネコやカモメ（これは同じ鳥かしら？）が、低空飛行で近づいてくると、ほとんど人間としての尊厳を全て返上してもいいと思うほど、うろたえてしまうのです。

この恐怖を露呈させないために、私、必要以上にはしゃぎ、スティール・キャメラマン山下君の要望に応えて、喜んで船の中央の一メートルほど高くなった台に登りマストだかハリヤードだかにつかまって、いともみっともないポーズを取る。

売れなくなった往年のハリウッドスターが若振ってゴ愛嬌でも振りまいているかのように――。ああ、恥ずかしい。

かと思うとドゥニーに頼んで舵を取らせてもらう。なんとかして鳥島を回避しようと舵を思いっきり左方向に押してみたが、これが思ったよりずっと重い。健一君の助けを借りて、やっと左方向いっぱいに切ったらドゥニー船長が飛んで来た。

「何してンですッ。船がひっくり返るッ」

折角、ほんの少し船先が島からはずれたのに元の木阿弥。

私、また、写真撮影のためにさまざまなポーズを取る。

「あ、あそこにアザラシが一頭いるッ」と誰かが叫ぶ。――一頭ぐらい、多摩川にだっているわヨ――と、心の中で毒吐く。

アザラシやなんとかカモメを見に来たんじゃない。荒れ狂うブルターニュの幻想的な景色へのセンチメンタル・ジャーニーを目論んでいたのに……。

それにアザラシなんて、娘が十四歳の夏休みに珍道中をしたメキシコ旅行で、カリフォルニア半島突端の焼け爛れた巨大サボテンしかない荒涼としたサン・ルカス岬の沖で掃いて捨てるほど見たッ。
五、六メートルほどもある高波に泳ぐことも出来ず、真っ黒に肌を焼いてパリの友人たちに見せびらかそうと思っても、浜辺の砂はバッタのように飛び跳ねて歩かないと、火傷しそうに熱かった。
それにひきかえて、今日の海はなんと静かで美しいこと！　みんな上機嫌で楽しんでいるのに、提案者である私が何をブツクサ御託を並べていることか――。要するに鳥の大群が怖いだけ。

ふと、船尾を見る。縄で繋がれた小さなボートが帆船の揺れに添って上下左右に揺れて付いて来る。その姿が孤独気でうつくしい。

島に近づいたのか、白い大きな鳥が上空を舞っている。あろうことか、二、三のスタッフが五センチぐらいに細長く切ったパンをかざすと、瞬時にして数羽の鳥が、争うようにさらってゆく。鳥の群れが次第に低空飛行になってくる。

「恵子さんもやってみたら」と健一君がパンをくれる。

「うん……」観念して眼をつむり、つま先立ちして思いっきり高く手でパンを掲げても、私のパンに鳥は眼もくれない。

ン？　鳥と人間の間にも以心伝心はあるのか……。私と並んだ健一君の指先から、一羽が、かなり凶暴な食欲をあからさまにパンに喰いつくと、「ギャッ」というあられもない悲鳴をあげて、私は甲板にへばりつくようにして蹲《うずくま》った。不甲斐ないこと甚だしい。

健一君がパンの欠片を掲げると、真っ白な羽を広げ巨大な鳥が狙い定めて獲っていった。

海に浮かぶ異様な岩山。近づけば、白い部分は全て巨大な鳥。この一角だけに群棲している。

昔は海老獲り船だったというサン・ギレック号。乗船や海上散策用の小舟を繋ぎ伴走させている。

奇岩に海鳥の群棲する景勝地
グラニット・ローズ海岸

ブルターニュは、四十年前、岸さんがご主人と一緒に車で巡った想い出の地です。記憶に残るのは冬のブルターニュ、険しい岩に高波が逆巻く荒涼とした風景がいかにもブルターニュらしいといいます。雨が降っているのに陽が射すという、荒れ狂う嵐の風景もここ独特の天候だとか。

さらに、ブルターニュ独特の景勝地として、岸さんが忘れられないのが「グラニット・ローズ海岸」。奇岩の先に小さな灯台があり、海のオウムといわれるペロケやアザラシの棲息地です。船に乗って海から海岸を見ると、この地方特有のローズ色の奇岩が連なる岩場と、小さな島々が波間に見え隠れします。潮の満ち引きが激しいため、海上に現れる風景や岩の形がいつも違って見えるそうです。

アルセーヌ・ルパンの隠れ家の一つだった奇岩城も、このあたりではないでしょうか。

一帯にはかつて白カツオドリもいたそうですが、一時期剝製にするのが流行って絶滅。「白カツオドリはブルトン人と同じくらい希少」だと、船のキャプテン、ドゥニーは

時間や季節によって風景を変えるサン・ギレック海岸。引き潮時には砂浜を散策しながら、ばら色の風景を満喫できる。周囲の島々は、満潮時には、まさに孤島。住民は、小さな舟を足にして陸へと出かけるという。

言います。遠くから見ると島の一つの岩山だけ、真っ白。近づくと白黴《しろかび》のようなものは、すべてが巨大なカモメの一種、羽を広げると百八十センチもあるヨーロッパで最も大きな鳥だといいます。

対岸に見える小さなお城（コスタイレス城）は、ドイツ人アーティストの所有物。引き潮のときは歩いて渡れますが、満ち潮になると小舟を出さないとどこへも行くことができない孤島です。

村の一画には、かのエッフェル塔の設計者、ギュスターヴ・エッフェル氏の末裔《まつえい》が住む館もあります。

ブルターニュは、場所によって海峡に面したり、大西洋が広がっていたりする広大な地方です。そんなブルターニュの各地に、岸さんは想い出を持っています。

大西洋は、太平洋より塩っぱいわ。だからカキもエビもからいこと。（略）

ところで、食いしん坊の私にとって、「Les《レ》 Sables《サーブル》 d'Olonnes《ドオローヌ》」というところは天国です。

小さなシャペルの前で、踊りの練習をしていたグループに遭遇した岸さん。バグパイプ風の音色に合わせて、何種類ものステップを一緒に踏みました。

海辺にはカキの立ちぐい屋が林立し、あなた（注＝友人の秦早穂子さんのこと）のお好きな鰯《いわし》など、ここでは、信じられないほどの美味しさです。

フランス大西洋沿岸は、子供の天国といわれているだけに子供の多いこと。それにスノッブ連中はあまり見かけず、わりと大衆的。イヴも私もバリエーションが好きだから、あらゆるレストランの食いあさりをしています。

昨日は特筆すべき一日でした。昼食、ロメ

オというしがないホテルで……。
メニュー　一人前――
＊カニ　一個　大エビ　五、六尾
＊ラ・ロット・ア・ラメリケンヌ
ロットというのは、鱈《たら》の一種だと思うけど、身のしまった魚。このアメリカ風ソースが、泪が出るほどおいしかった。私の感激のしかたをみて、主人兼コック兼ボーイ兼皿洗い兼ｅｔｃのマルセルという人が大感激、その大感激をみて私がまた感激し、その結果、ロット・ア・ラメリケンヌを三回おかわりしました。
＊最後にラパン・ア・ラ・シャサー
これは、私が一度、イヴが三回おかわり。で、コーヒー。おネダンいくらだと思いますか。一人前十二フラン！　三人で三十六フラン（二千六百円也）。こんなことが今の世の中にあり得ると思う？　ひじょうに申し訳ないような気がして、デルフィーヌとよく遊んでくれる、マルセルの九歳になる息子に、百フランお小遣いをあげました。
（後記：百フランはちょっと極端。私にはフツーのことが出来にくい癖があります。）

（書簡集　パリ・東京井戸端会議「1971」より）

郷土色豊かなブルターニュ

ブルターニュは、新石器時代から人類が住んだ痕跡があり、巨石文化の遺跡やアーサー王伝説でも有名。ケルト文化の影響を受けたカトリック信者の土地です。十字架や教会が非常に多く、教会の正面に守護聖人の像があるのも、この地方でしか見られません。

そして、他の地域ではすたれてしまった「パルドン祭」も、今なお盛んに行われています。パルドン祭は中世から続くキリスト教の祭りで、六月から九月にかけて行われ、この時、自分の犯した罪を懺悔《ざんげ》すると許されるとされています。教会でのミサに始まり、民族衣装を着た人々がパロエールと呼ばれる旗や十字架、聖人の像を持ち、歌を歌いながら行進します。村ごとに異なる衣装はすべてハンドメイド、それぞれ異なる髪形やレースの帽子、歌と踊りなど、郷土色豊かな祭りの熱気は、宗教的背景にうとい観光客にも充分に伝わります。

独自の文化を大事にすることから、「ブルトン人は、敬虔で寡黙」というのがパリっ子の定説なのだそう。岸さんによれば、かなりの頑固者が多いようです。ブルターニュ地方へアクセスする基点となるモンパルナス駅一帯には、ブルターニュ出身者が多く集まったためか、ブルターニュの地名に因んだバーやキャフェ、ホテル、レストランが目立ちます。

何やらお国自慢めく気がしますが、生まれた土地の歌や踊り、食事に頼りたい気持ちは、誰しも持っているもの。岸さんの著書には、つらいことがあると豪快に大洗濯などをしながら、大きな声で「よさこい節」を歌うシーンが登場します。横浜生まれなのに土佐の高知の「よさこい節」。何かわけがあるのでしょうか?

ブルターニュの隣に、「シェルブールの雨傘」や「地上最大の作戦」などの映画でも有名なノルマンディー地方があります。その避暑地ドーヴィルにちなんだ、岸さんのこんなエッセイがあります。

雨が横なぐりに降りしきる晩春の魚市を通って、私達はドーヴィルのカジノに向かっていまし

た。ドーヴィルといえばノルマンディーの洒落《しやれ》た避暑地（私は少女の頃、ジョゼフ・ケッセルの『幸福の後にくるもの』を読み、猛獣が獲物を得て、寝ぐらからガバとはね起きるようなたけだけしいセックスアピールと世にもあえかな繊細さとを兼ね備えたリシャール・ダローという主人公に恋い焦がれ、彼がのし回ったというドーヴィル海岸にはてしない夢をみたものです）。

魚市の活気ある喧騒の中をゆくと、今流行のツバ広のフェルト帽子にマキシースカートをはいた、気取った女性が一人、大きな魚を気味悪そうにつまみあげて、「ムッシューウ。このおさかなのお名前は？」と山ノ手風のお声。「鯛よ。お前サン」と軽口をたたきたいのをがまんします。魚河岸は築地に限るとは私の友人の説。「だいいち、鯨じゃあるまいし、あれっぽっちの魚をギコギコのこぎりでひくなんてフランス人てテンから野暮なのよ。築地じゃね、威勢のいい兄《あん》ちゃんがねじり鉢巻にゴム長はいて、まないたの上にバケツの水をザッとブッかけて跳びはねる魚をパッンと出刃包丁でぶった切るのよ」。キビキビとした江戸前の科白《せりふ》が思い出され、私は陶然《とうぜん》とワサビの利いたトロのにぎりを瞼《まぶた》に浮かべます。

「ケイコ。なにをニヤニヤしてるの、ルーレットで全数入りでも考えているの」

「エッ」。今やイリュージョンの中のトロがゴクリと喉を通るところを、何と無慈悲な差し出口。かえりみれば素っ頓狂なカラシ色の帽子を被った貫禄豊かな八十歳の老女（失礼）、我がお姑さま。「お義母《かあ》さま！」。瞬間私は愕然として、トロもカジノも忘れて悲鳴をあげます。

「おかあさま、そのシャポーはお止《よ》しになった方がいいわ」「まあ、あなた若いのにオフ・モードね。これ、ディオールのコレクションよ」「ディオールは、つまりその……若くて美しい人を想像して作ったのではないでしょうか……」

夫とその父が得たりとばかりの眼くばせ。

「そういうことはあるかも知れないわね」

澄ましてニコリと笑う顔がほんの少し美しくないこともない……。

（私の人生 ア・ラ・カルト「ドーヴィルのカジノ」より）

ギャルリー・ド・ケル・イリツ

潮の満ち干によってさまざまに表情を変えることで知られるグラニット・ローズ海岸。その観光の基点となるのがペロスギレックという小さな町です。中心部には海辺の町ならではの土産物や衣料品を売るお店がこぢんまりとまとまっています。岸さんはそのうちの一軒のカードスタンドに目をとめました。

旅先では、いつもポストカードを大量に買い求めるという岸さん。サイズも豊富な葉書はお土産にも最適です。

▶名物「Wakamé」とは、乾燥ワカメのこと。ハーブや岩塩を混ぜた乾物も人気。

◀岸さんが選んだ、ブルターニュの美しい風景の絵葉書。

Galeries de Ker-Iliz ギャルリー・ド・ケル・イリツ
6, rue du Général de Gaulle 22700 Perros-Guirec

■電　話　02 96 91 00 96
■営業時間　10:00〜12:00、14:30〜19:00
■定 休 日　日曜、月曜（7、8月は無休）

サン・ギレックの祠

サン・ギレックの本物の像は近くの教会に祀られており、この海岸の祠に作られたのは、巡礼者向けのレプリカだという。潮風と波しぶき、そして伝説を信じる乙女たちの「針による祈り」を受け止めてきた聖者の像。石像の鼻の穴はおろか、顔面もあわれな姿となっていました。

PERROS-GUIREC ペロスギレック
Office de Tourisme

■電　話　02 96 23 21 15
www.perros-guirec.com
パリ、モンパルナス駅からTGVとローカル線でLANNION（ラニオン）まで約4時間。ペロスギレックまではさらに12km（バスかタクシー利用）。

ティ・アル・ラネック

ブルジョワの避暑地の別荘として20世紀初頭に建てられた館。一時は忘れ去られたような状態になっていたものを現在の主であるジュアニー夫妻が買い取り、度重なる改装を経て美しいホテルとして再生させました。壁には地元で産出される石を使い、それぞれの内部のしつらいもこの地方の伝統的な建築スタイルを尊重するなど、館と風土に対する深い思い入れが感じられるホテル。レストランやタラソテラピー施設も充実しているので、ゆっくりとくつろいだ滞在が約束されています。

ホテル内には客室の他に、ゲスト用サロンも多数設けられている。写真はテラス席に面した、暖炉と書棚が印象的な一室。

▲正面の入り口。古い洋館の落ち着いた佇まいが、ゲストを優しく迎えてくれる。

◀広々としたレストラン。窓の外には海が広がる。キビキビと立ち働くスタッフもよい。

Ti al Lannec ティ・アル・ラネック
14, allée de Mézo-Guen 22560 Trébeurden

■電　　話　02 96 15 01 01
■営 業 日　3月から11月なかばまで
■室 料 他　シングル82ユーロ～、ダブル152ユーロ～、朝食14ユーロ／レストラン　12:30～14:00、19:30～21:30　コースメニュー36ユーロ～（昼は23ユーロ～）／スパ　9:00～12:00、14:30～20:00　フェイシャル保湿パック45ユーロ～、アロマテラピーマッサージ62ユーロ

クレープリー・アモン

このあたりを訪れたとき、二階の窓から顔をのぞかせていた先代のマダムと路上の岸さんとで、さながら「ロミオとジュリエット」のようなシチュエーションで言葉を交わしたのが最初。以来、すっかりお気に入りの店になりました。焼きあがったクレープを高く後方に投げ上げるのを後ろでお皿にキャッチするという妙技が見られるのも旅のご馳走のひとつ。家族的なほのぼのとした雰囲気のなかで味わうクレープはまた格別です。

住宅街にひっそり佇む老舗。「クレープリー・アモン」と、店名が書かれた小さな看板が目印。

Crêperie HAMON　クレープリー・アモン
36, rue de la Salle 22700 Perros-Guirec

■電　　話　02 96 23 28 82
■営業時間　19:30〜22:00、要予約
■定 休 日　日曜、月曜
クレープの値段は1.50ユーロ〜７ユーロ

宙を飛ぶ「クレープキャッチ」に成功した岸さんは、店中から拍手喝采を受けました。

砂の道が消える神秘の孤島

モン・サン・ミッシェル

私たちは、風に吹かれながら、モン・サン・ミッシェルの、長い長い石畳の階段を登ってゆきました。（略）

「結婚した当時、『マレフィス（呪《のろ》われた恋）』という映画に出ないかと言われたの。主役は、私と、このモン・サン・ミッシェルだったの。ここは昔、離れ島で、今みたいに観光客用の渡し道なんか作られていなかったの。この島を訪れる人は、ひき潮どきに砂地を歩いてやって来たの。そして、ひき潮のうちに帰らないと、充《み》ちてくる満潮の足は、ちょうど駆け足の馬のような速さで、泣き叫んで駆《か》け出す人たちをのみ込んでしまったのよ。干潮どきでも、この砂は魔物が住んでいて、急に動き出すのよ。人間を平気で呑《の》み込んでしまう、怖《おそ》ろしい流砂なのよ」（略）

「この島に、はじめて来たのは二十五年前なのよ。イヴに連れられて……。その日のモン・サン・ミッシェルはとてもステキだったわ。嵐で、すさまじい雨が降っていたのに、真っ赤な落日が、私の顔を朱《あか》く染めていたの」（略）

島のお城の礼拝堂で、私は、ことば少なにイヴに告げました。

――二十五年前、あなたが連れて来てくれたこの小さなチャペルで、あなたに、さよならを言います。あなたが大好きだった北の海、あなたが大好きだったブルターニュ、あなたが愛したモン・サン・ミッシェル。あなたが愛してくれた、あなたのケイコ。それらのものすべてに――。私は多分、二度とこの島には、やって来ないわ。虹色に輝いていた私の乙女時代、愛や、辛苦のときを共にしたあなたとの生活、その後の長かった独りぼっちの道。

それらから、今、私は立ち去ります。もう一つの、別な、独りきりの道へ向けて――

音をたてるほどのけたたましさで暮れ落ちてゆく、昏《くら》い孤島の石畳の道で、私の連れは、やわら

Mont-Saint-Michel モン・サン・ミッシェル

Office du Tourisme

■電　　話　02 33 60 14 30
■アクセス　パリ、モンパルナス駅からTGVで約２時間、レンヌ(Rennes)駅下車後、モン・サン・ミッシェル行きのバスで、約１時間半。また、パリの旅行会社多数が日帰りバスツアーを企画。
■僧院の開館時間　9:00～19:00（５月～８月）、9:30～18:00（９月～４月）、入館は閉館時間の一時間前まで
■閉館日　１月１日、５月１日、12月25日
■入館料　８ユーロ

砂地に浮かぶ神秘の島モン・サン・ミッシェル、８世紀からここの修道院には数多くの巡礼者が赴いている。


かい笑みをうかべて私を待っていてくれました。

もう一つの旅へ旅立つ私が、ほんのわずかでも、人のぬくもりに支えられて歩けるように、オーバーコートを拡げて私を包み込んでくれました。

　そのほほえみはやさしく、その瞳には、私とは関《かか》わりのない人生をゆくよその人の、すがすがしく醒《さ》めたいたわりがありました。

「ありがとう」私は、ずっくりとなじんでしまいそうな、その人の胸を離れて歩きます。


（巴里の空はあかね雲「エピローグ」より）


　世界遺産に登録されたモン・サン・ミッシェルは、ヨーロッパでいちばん高潮が押し寄せることから、長らく魔物が棲むと言われた土地。干満の差は十五メートルもあり、干潮時には十八キロの彼方まで砂地が現れます。潮の速さは馬のギャロップ（駆け足）並みと言われています。

　一八七〇年に島と陸を繋ぐ道路がつくられる以前は、潮が満ちると完全な孤島となってしまう、自然の畏怖を感じる聖地でした。

裏ばなし

「岸恵子の写真集」と聞いたときは、ただ唖然として耳を疑った。

「からかわないでよ。もうじき七十の坂を登ろうとする私が……。ア、七十にもなれば坂は登るんじゃなくて、降るというのかな」

「またまたあ」と提案者である講談社の豊田利男さんはえも言われぬ曖昧な顔をする。

「そーよね、人間生きてる限り、坂はいつも登ってゆくものなんだ。死ぬ時は、足を上に向けて登りながら、パッタリ止まる。けれどね、それとこれとは別のはなし。写真集なんてものは、せいぜい四十代か五十代まで。私、これでもまだ女優のハシクレなの。バカにしないでョ」と大憤慨したのは、三年も前のこと。

「あなた、人生七掛けの提唱者でしょ。七十になったとしても七×七＝四十九歳の女盛り、と日頃から豪語しているのは何なんですか」

「あれは、私のはったり。空景気。ほんとは皺も白髪も売るほどあるわョ。若いのは心とアタマの中の熱い爆発物だけ」

「それですよ。ぼくが狙っているのは！」と豊田さん、得意の熱弁をふるう。

「巨大なプロジェクトですよ。『岸恵子　世界を歩く』で、テレヴィ番組と写真集と展覧会を同時にやる」

「私を殺す気？　二十年前ならともかく、そんなことしたら、私死んじゃうわよ」

「まあまあ」と私の連絡事務所を設置してくれている舞プロモーションの小川富子オーナーがやわらかく割って入る。

「壮大なプロジェクトだと思うし、私共もぜひお手伝いさせていただきたいと思いますが、問題は恵子さんがそういうことに興味を持つかどうかですよね。恵子さん一つ一つに一生懸命になる人ですから、三つ同時は難しいでしょうね」

私は興味もなかったし、実現可能とは思わなかった。豊田さんの提案する世界の都市、例えばアメリカはニューヨークやハリウッド◌゙ヨーロッパはもちろん、フランスのパリを筆頭に、イタリアではローマやヴェネチア、フィレンツェなど。ロンドン、マドリッド、ウィーンなどなど、観光客が群がりそうな処ばかり。

「あのネ、私が惹かれるのは、私にとって未知の国なの。都会には興味ないの」

「例えば？」

「アマゾンの川下り。アフリカ大陸突端の喜望峰。シバの女王で有名な北イエメン。一度行ったけど、砂漠の中で朽ちさびれて美しいイランの古都イスファハン……」

「ちょっと待って」豊田さんが悲鳴をあげた。「そんな場所、飛行機の直航便が乗り入れてないですよ」

ン？　観光案内も考えているのかナ、とぼんやり思いはしたが、当時、私は『風が見ていた』というはじめての小説を心魂傾けて書いていたので、そのプロジェクトやらを真剣に考える余裕などなかった。

二年目は、小説下巻が佳境（？）に入り、そのさなかに「こころ」という朝の連続テレヴィドラマに出演したりで、身が、というより頭が裂かれるような超過密スケジュールの日々。

この間、豊田氏は熱心に我が家にお出向き遊ばし、私の手料理などを「旨いッ！」と何回もおかわりした揚げ句、

「あれだね、岸さんの料理って豪快ですよね。繊細っていうんじゃなくて、野性的っていうのかな」とお抜かし遊ばす。

「じゃ食べるなッ」

「いや、旨いんだ。味付けがいい」

決して嫌いではないが強引すぎるこの男を、一体どう料理したものかと、下から掬うように睨みつけると、テキも全く同じことを考えているらしく、視線をうろつかせて「コーヒー……もらってもいいですかね」などととぼける。

こうなると、「止めよう、やる気ない」となるか、「一本ぐらい、つまりフランスぐらいやってみるか」のどちらかに早く決めないと、収拾がつかない。で、私は生来心やさしき女なので、つい後者を口走ってしまった。

それが三年目、去年の秋ごろのことだった。それからが大変。

「このプロジェクトのプロデューサーは、誰の手も借りずぼくがやる」とは豪語しても、彼の本職は出版社の編集者。

広告代理店やスポンサーはたちまち決まったのに、肝心のテレヴィ局の人がなかなか現われない。

それもその筈、私の条件は、「岸恵子、企画・構成・演出」なのだった。その私の構成案をテレヴィ局が、視聴率的に大いに疑問とし、特に九月末の夜の放送が、お正月の午後の時間帯の放送と変るに至っては、本人の私でさえ、おとそ気分の茶の間には、ちょっと向かないかも知れないと思った。

そして四十二年間も過したからこそ描くことの出来る「私のパリ　私のフランス」と題した中身の濃いルポルタージュが、明るく楽しい、旅物語に変貌することに、はじめのうちどうしても与《くみ》することが出来なかった。

「やめましょう」と私は言った。

私には、撮りたい風景や、フランス人の、多少分り難い気質などを、エピソードによって、面白可笑しく解いてゆく自信があったし、エッセイ風のナレーションもかなり書き進めていて、それを頭から取り除くことが出来なかった。

「折角ですが、やめましょう」もう一度言った私に周りは騒然となった。

「恵子さん」と、ここで前記の小川富子さんが提案した。

「恵子さんの企画を、一度思い切って捨てたらどうでしょう。中途半端につまみ喰いするのはやめて、全面的に捨てる。全く新しいものとして、軽い気持でやってみたらどうですか?　その企画は別の機会に必ず実現しましょう」

私は考え込んだ。変形させるのはいやだけれど、捨てることは出来る。

パリへ行って空気を変えよう!　私は五月二十日発の飛行機を予約した。

結局、私を追うように演出家と広告代理店の人が来てくれて、私の提案するブルターニュ地方とパリでのロケ・ハンを済ませた。私は、この十日間の旅物語を、いかに楽しく、面白く、けれど少しは私らしいところも出るように心を配ることにした。

お正月の旅番組に出るのに、こんなに考え込んじゃうのは、今的じゃないし、滑稽だョ、と自分が可笑しくも思える。パリとは、フランスとは、私にとってはそれほどのものなのである。

さて、肝心の写真集に話を戻すと、テレヴィ・クルーにスティール・キャメラマンが同行して、テレヴィ撮影の合間を縫ってのアクロバティックな作業となった。実質十日間で二つのことを同時に行うのは、テレヴィのスタッフにも、スチールのチームにもプレッシャーがかかるし、私も、その場の雰囲気に合わせた衣装に着替える時間はなかった。

はじめに想像していた「写真集」というよりは、エッセイのボリュームも多い、私にとっては初めての「フォト・エッセイ集」となった。大変ではあったが、まあまあの出来かな、と思ったりもする。それは、ひとえに、パリ在住のスタッフと、東京から行ったスタッフとのハーモニーが絶妙であり、心の通わせ方が素晴らしかったからだと思う。

このフォト・エッセイ集の書き下ろし原稿に与えられた当初の日数も、数合わせのように十日間だった。遅筆な私は七転八倒。結果としては書きたい部分も増え、〆切は延び延びになってしまった。講談社の提案で、私が過去に書いた物から、各章に適したエピソードも抜粋して加えることになった。

また、建物や歴史、その他の情報は、編集部の手によるもの。

まるでパズルのようなこの一冊。けれど、私が生きた四十二年という途方もなく長い、パリでの苦や楽を、そして美醜や、しゃれや、しのび笑いを、少しでも嗅ぎ取っていただけたら、とても嬉しい。

最後に、私の細かい注文をこころよく聞き入れて、抜粋の作業や編集を、夜を徹してやり遂げてくれた山口薫さんに心から感謝したい。

薫ちゃん、ありがとう!

そしてなつかしいスタッフのみなさま、岡本健一君、ほんとうにお疲れさま。

ありがとう。こころから……。

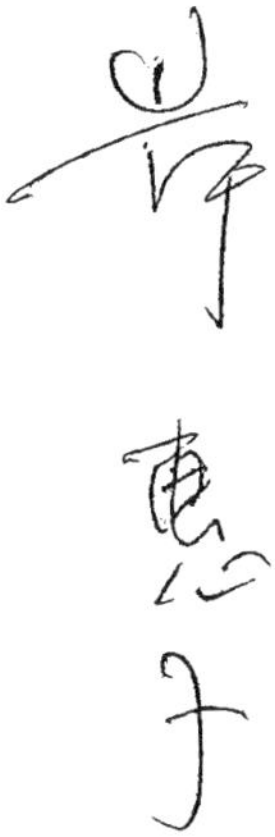

岸 惠子 Keiko Kishi

■著者経歴
横浜生まれ。映画女優、作家。1957年、医学博士から反ナチ地下運動を経て映画監督になったイヴ・シァンピと結婚のため渡仏。夫から強い影響を受け、ジャーナリスト、作家として活躍の幅を広げる。主演女優賞をはじめ数多くの賞を受賞。96年から、国連人口基金親善大使。

■映画
「君の名は」「女の園」「亡命記」「雪国」「おとうと」「黒い十人の女」「怪談」「約束」「細雪」「かあちゃん」「たそがれ清兵衛」など多数。

■著書
『巴里の空はあかね雲』（1983年日本文芸大賞エッセイ賞 受賞）『砂の界（くに）へ』『ベラルーシの林檎』（1994年日本エッセイスト・クラブ賞 受賞）『30年の物語』『風が見ていた』『私の人生 ア・ラ・カルト』

表紙撮影● 山下郁夫
写真● 山下郁夫
岡本健一：P189、P191下
Ishikawa Yoshitake (agence 21 Paris)：P45、P58~59、P83、P103、P106~107、P130、P131中・下左右
鈴木春恵：P47上、P48、P49下、P50下左右、P51右、P91下、P102、P104上、P127下左右、P132下、P138上・中、P139下左
著者所蔵：P18、P21、P41~44、P55、P165~167
ライター● 西 妙子 鈴木春恵
編集● 山口 薫
ヘアメイク● Masaru Miyabe
アートディレクター● 三村 淳
レイアウト● 三村 漢
地図制作● ジェイ・マップ
協力● 資生堂、ソニア リキエル、銀座ヨシノヤ、フォリフォリジャパン、テレビ朝日、ViViA、フランス政府観光局

本書の記事は、2005年10月現在のものです。

N.D.C 290 200p 21cm

私《わたし》のパリ 私《わたし》のフランス

2005年12月20日 第1刷発行
2006年 1 月27日 第4刷発行

著 者 岸《きし》 惠子《けいこ》
発行者 野間佐和子
発行所 株式会社 講談社
〒112-8001 東京都文京区音羽2-12-21
電 話 編集部 03-5395-3516
販売部 03-5395-3622
業務部 03-5395-3615
印刷所 大日本印刷株式会社
製本所 株式会社上島製本所

定価はカバーに表示してあります。

ISBN4-06-212845-4